Las mujeres felices viven *mejor*

Libros de Valorie Burton publicados por Portavoz:

Las mujeres exitosas piensan diferente

Las mujeres felices viven mejor

Las mujeres felices viven *mejor*

VALORIE BURTON

La misión de *Editorial Portavoz* consiste en proporcionar productos de calidad —con integridad y excelencia—, desde una perspectiva bíblica y confiable, que animen a las personas a conocer y servir a Jesucristo.

¡Deseo que nuestro encuentro en las páginas de este libro *te provoque más sonrisas, más risas y más vida!*

Título del original: *Happy Women Live Better,* © 2013 por Valorie Burton y publicado por Harvest House Publishers, Eugene, Oregon 97402. Traducido con permiso.

Edición en castellano: *Las mujeres felices viven mejor,* © 2016 por Editorial Portavoz, filial de Kregel, Inc., Grand Rapids, Michigan 49505. Todos los derechos reservados.

Traducción: Rosa Pugliese

EDITORIAL PORTAVOZ
2450 Oak Industrial Drive NE
Grand Rapids, Michigan 49505 USA
Visítenos en: www.portavoz.com

ISBN 978-0-8254-5660-2 (rústica)
ISBN 978-0-8254-6495-9 (Kindle)
ISBN 978-0-8254-8643-2 (epub)

1 2 3 4 5 edición / año 25 24 23 22 21 20 19 18 17 16

Impreso en los Estados Unidos de América
Printed in the United States of America

Contenido

PLANES DE ACCIÓN PERSONALIZADOS

¡Las mujeres felices leen la introducción!

Ya sé, ya sé. A ti te gusta ir directo al primer capítulo y pasar por alto la introducción. Pero esta vez, no. Antes de meterte de lleno y descubrir cómo puedes ser más feliz a partir de hoy, quiero arrojar luz sobre por qué este tema es tan importante en este momento de la historia y por qué tu elección de este libro tiene que ver con algo más que tu felicidad. Tiene que ver con un movimiento.

Estamos en medio de una crisis, pero nadie parece notarlo. Como mujeres, tenemos más, pero disfrutamos menos. Tenemos más educación, más opciones, más dinero. Criamos a menos hijos. Y, gracias a la tecnología, los quehaceres domésticos son mucho más fáciles. La mujer actualmente tiene más oportunidades que cualquier mujer en la historia. Y, sin embargo, investigaciones revelan que, colectivamente, somos *menos* felices que hace cuarenta años, mientras que en realidad los hombres son más felices.[1] ¿A qué se debe? Y asimismo importante, ¿qué puedes hacer para no caer dentro de estas alarmantes estadísticas? Estas son algunas:

- Si bien nos han dicho que podemos "tenerlo todo", y se supone que todas queremos alcanzar los mayores logros profesionales, actualmente el 75% de las mujeres que trabajan afirma que aspira tener un estilo de vida financiero que le permita dejar de trabajar y quedarse en casa.[2]

1. Betsey Stevenson y Justin Wolfers, "The Paradox of Declining Female Happiness", *American Economic Journal 1*, no. 2 (1 de agosto, 2009):190-225.

2. Meghan Casserly, "Is 'Opting Out' the New American Dream for Working Women?", *Forbes*, 12 de septiembre, 2012, http://www.forbes.com/sites/meghancasserly/2012/09/12/is-opting-out-the-new-american-dream-for-working-women/.

- Hoy día, las mujeres son dos veces más propensas a deprimirse que los hombres.[3]
- Hoy día, la edad promedio del primer episodio de depresión es diez años más joven de lo que era hace una generación.[4]
- En la búsqueda por "tenerlo todo" (educación, carrera, matrimonio, hijos) cada vez son más las mujeres que descubren que, cuánto más logran en la primera mitad de esa ecuación (educación y carrera), menos son sus probabilidades de tener éxito en la segunda mitad (matrimonio e hijos). Las estadísticas muestran claramente que cuanto más educada eres y cuanto más dinero ganas, menos probabilidades tienes de casarte y tener hijos. En el caso de los hombres, sucede lo contrario.[5]

He escrito este libro con un doble propósito: dar lugar a que las mujeres hablen de su felicidad y darte las herramientas para ser más feliz.

Cuando hablo con mujeres de cualquier nivel social, escucho el mismo estribillo, ya sea que sean profesionales estelares sin hijos o estén casadas y sean amas de casa con cinco hijos: "Debería hacer algo más", "Esta no es la vida que imaginé", "Siento como si me estuviera perdiendo algo". En este libro escucharás a mujeres como tú hablar de la angustia que sienten en la vida: la presión que sienten de mantenerse actualizadas, la desilusión de hacer lo que debían hacer y tomar las decisiones correctas y, aun así, no tener la vida que esperaban. Y escucharás a otras que, de un modo u otro, parecen "tenerlo todo". ¿Cuál es su secreto? Creo que te sorprenderás de las respuestas.

Misión #1: ¿Qué está pasando?

Primero quiero suscitar el diálogo entre tú y tus amigas, hijas, tías, primas, compañeras de trabajo y las mujeres que te rodean. Como mujeres, necesitamos tomar consciencia del efecto de los cambios culturales en nuestra felicidad colectiva. ¿Por qué un alto ingreso económico dis-

3. "Depression in Women: Understanding the Gender Gap", Clínica Mayo, última actualización el 19 de enero, 2013, http://www.mayoclinic.com/health/depression/MH00035.

4. Martin E. P. Seligman, *Learned Optimism* (New York: Vintage Books, 1990). Publicado en español como *Aprenda optimismo* por Editorial DeBolsillo.

5. Selena Rezvani, "For Women, It's *Really* Lonely at the Top", *Washington Post*, 28 de mayo, 2010, http://views.washingtonpost.com/leadership/panelists/2010/05/for-women-its-really-lonelyat-the-top.html.

minuye las probabilidades de que una mujer se case y tenga hijos? ¿Por qué los hombres suelen ser más felices a medida que envejecen, mientras que las mujeres tienden a ser más infelices, y cómo puedes evitar que esta también sea tu historia? ¿Puedes realmente "tenerlo todo"? Y ¿cómo defines "tenerlo todo"?

Después de hablar con muchas mujeres y leer un número creciente de investigaciones, es más obvio para mí que la amenaza contra la felicidad de las mujeres ha sido gradual. Debido a ello, la mayoría de las mujeres no ha notado los cambios en las expectativas y dinámicas durante los últimos cuarenta años aproximadamente, los cuales han aumentado de manera drástica nuestro nivel de estrés y han hecho que sea más difícil alcanzar la felicidad. Las mujeres que eran jóvenes adultas a finales de la década de 1960 y a principios de la década de 1970 señalan claramente las diferencias en las expectativas culturales. Lo han vivido y han visto los cambios a través del tiempo. El contraste es marcado.

"¡En 1972 no se esperaba tanto de la gente ni de nada! —señaló Christine Duvivier, experta en la psicología positiva y en la crianza de los hijos—. Creo que la gente no tenía tantas expectativas en cuanto a lo que se debía lograr o tener".

Cualesquiera que sean las razones de los cambios en nuestra cultura —cambios que probablemente están influyendo en ti de manera que nunca hubieras imaginado—, tú puedes ser parte de la solución. Puedes despertar conciencia tan solo sacando el tema a colación. Te aseguro que *cada mujer tiene una opinión al respecto.*

Cuando descubrí este tema, decidí sacarlo a colación informalmente con cada mujer que encontraba. "¿Sabías que las investigaciones revelan que, desde comienzos de la década de 1970, las mujeres son cada vez menos felices mientras que los hombres son cada vez más felices? Especialmente después de cumplir cuarenta años, muchas mujeres sienten que la vida no es todo lo que esperaban. Trataron de tenerlo todo, pero demasiadas no lo lograron. ¿A qué crees que se debe?". Ni una mujer respondió: "No lo sé". En cambio, empezaron a explayarse en el tema y a hablar de su propia vida, sus hijas, su madre, sus amigas. Los comentarios eran variados, pero todos tenían una temática similar:

Estoy exhausta de tratar de hacer de todo.

Siento como si nunca hago lo suficiente.

Me siento culpable de no hacer más.

Una mañana de primavera, mientras estaba sentada en un Starbucks del Rockefeller Center después de aparecer como invitada en el programa de televisión *Today Show*, me encontré con las productoras del programa *Dr. Oz*. Anteriormente, había aparecido en su programa y una de las productoras me preguntó en qué estaba trabajando ahora. Empecé a hablarle de este libro y a mencionarle los temas que las mujeres me comentaban. Las dos productoras se unieron a la conversación e hicieron comentarios de su propia vida y familia. Inesperadamente, una perfecta extraña se acercó a nuestra mesa. Parecía un poco desbordada y bastante interesada en decirnos algo. En su acento inglés dijo: "Discúlpenme, no suelo entrometerme en conversaciones ajenas, pero lo que están diciendo es realmente interesante y cierto". Luego, durante los diez minutos siguientes, nos explicó enfáticamente el estrés que significaba para ella trabajar, viajar ida y vuelta al trabajo, y ser esposa y madre. "Pienso que es solo un mito que puedes tenerlo todo —dijo ella con un tono de frustración y como si necesitara que alguien la escuchara—. Yo ni si quiera deseo tenerlo todo. Desearía quedarme en casa, pero no puedo. Necesitamos el dinero".

Ella no es la única que experimenta esa angustia. Considera algunos de los siguientes comentarios de mujeres que entrevisté:

- Una mujer de 43 años, madre de seis hijos, casada hace 18 años, que ahora se está dedicando al ministerio, dijo: "Me siento extremadamente relegada. Siento como si debiera haber empezado hace diez años".
- Una mujer de 26 años, recién casada, dijo: "Siento mucha presión de tener que hacer todo bien en el trabajo y en el hogar. Todos me preguntan cuándo tendremos hijos. ¡No lo sé! En este momento, solo estoy tratando de ingeniármelas para estar casada y tener una carrera al mismo tiempo".
- Una mujer soltera de 38 años, que es profesional, dijo: "Muchas veces siento que me juzgan, como si la gente pensara que cambié la posibilidad de tener una familia por una carrera exitosa. La verdad es que quería las dos cosas. Pensé que a estas alturas estaría casada, pero no fue así. Estoy empezando a preguntarme si alguna vez me casaré. Por lo general, soy fuerte en la fe de modo que me siento culpable cuando me sobrevienen dudas".

- Una mujer de 60 años, madre de dos hijos, dijo: "Pienso que hoy día las mujeres jóvenes se estresan porque tienen muchas expectativas de sí mismas. Cuando terminé la escuela secundaria, mi expectativa era casarme y formar una familia, y quizás ser una secretaria. No sentía ningún tipo de presión de conquistar el mundo".

El último comentario de la mujer de 60 años podría haber dado en el clavo. Con más opciones que nunca, tenemos más oportunidades de lamentarnos y arrepentirnos. A mayores expectativas, más oportunidades tenemos de desilusionarnos y fracasar. Con más mujeres que alcanzan el éxito profesional y financiero que nunca, tenemos más posibilidades de compararnos y sentirnos culpables de no hacer lo suficiente. La multiplicidad de retos puede contribuir a sentimientos que atentan contra nuestra felicidad y contentamiento. Y, a través de estas páginas, quiero incitar a un diálogo sumamente necesario con respecto a esto.

Inicia el diálogo

Si este libro te ha de servir de inspiración, creo que es para ser una de las mujeres dispuestas a iniciar este diálogo en toda la nación. Las mujeres quieren ser felices, pero cada vez son más las mujeres que descubren que la auténtica felicidad es difícil de conseguir. Sonríen todo el tiempo para disimular la decepción, el desánimo y la frustración de estar haciendo algo que pensaron que las haría felices solo para descubrir que no es así. Veremos algunas preguntas importantes; preguntas de las cuales depende cuán feliz eres en la vida.

- ¿Por qué es más difícil ser feliz hoy que hace algunas décadas y cada vez es más difícil?
- ¿Cuándo has hecho lo suficiente?
- ¿Acaso nuestras madres no nos dijeron que podíamos tenerlo todo? ¿Acaso ellas lo experimentaron o nosotras fuimos la primera generación en embarcarse en este gran experimento?

El primer paso para superar un reto es reconocer que existe. De modo que analizaremos cada uno de los diferentes cambios ocurridos en nuestra sociedad, los cuales han creado una dinámica inesperada en la vida de las mujeres. Más importante aún, hablaremos de lo que esos cambios significan para *ti* y qué puedes hacer para procurar tu propia felicidad.

Misión #2: ¿Cuál es tu receta para la felicidad?

La otra misión de este libro es ayudarte a ser más feliz. Gracias a investigaciones pioneras en el campo de la psicología positiva —el estudio de aquello que nos hace más felices, más resistentes y capaces de superar las adversidades— he identificado 13 recetas para la felicidad. Cada receta puede estimular tu felicidad, pero es posible que algunas produzcan más emociones positivas en ti que otras. He diseñado un test que te mostrará cuál es tu principal receta para la felicidad (ver el Test de la felicidad en la página 205). Antes de seguir, toma el test y guarda los resultados.

En este libro, veremos cada una de las 13 recetas para la felicidad y de qué manera puedes utilizarlas en tu vida diaria para tener una vida más feliz y auténtica, menos estresada y más satisfecha. Aunque existen muchos libros sobre la felicidad, en mi opinión, ninguno ha abordado jamás el concepto de las distintas recetas para la felicidad y el hecho de que aquello que te hace más feliz a ti podría ser totalmente diferente de aquello que hace más feliz a otra persona. En realidad, la clave para dar rienda suelta a tu auténtica felicidad podría ser obtener claridad sobre aquello que, de forma innata, te infunde energía y te ayuda a alcanzar el nivel más profundo de realización y satisfacción en la vida. Aprender esto ahora puede producir un cambio revolucionario en tu vida, y puede ayudar a tus amistades, tu pareja y tus seres amados a comprender mejor qué te hace tan única. De igual manera, te animo a que aquellos más cercanos a ti realicen el test. Imagínate el beneficio que pueden tener tus relaciones al comprender mejor la receta para la felicidad de tus hijos, tu esposo, tus amigos, tus compañeros de trabajo y miembros de tu familia. Sin lugar a dudas, conocer bien aquello que te produce felicidad a ti y aquello que les produce felicidad a otros será positivo para tus relaciones.

Cómo está diseñado el libro

Recetas para la felicidad

En este libro conocerás 13 recetas para la felicidad. En realidad, son habilidades. La felicidad es una habilidad. Si practicas los hábitos de la felicidad y tomas más decisiones que te produzcan felicidad y menos decisiones que hacen lo contrario, verás que la cantidad de alegría y contentamiento en tu vida aumentará considerablemente. De hecho, estudios revelan que la mitad de tu felicidad es genética y solo el 10% está basada en tus circunstancias.[6] El apóstol Pablo estaba en lo cierto cuando declaró: "he aprendido a estar satisfecho en cualquier situación en que me encuentre. Sé lo que es vivir en la pobreza, y lo que es vivir en la abundancia" (Fil. 4:11-12). Casi el 40% de la felicidad tiene que ver con lo que haces intencionalmente.[7] Tiene que ver con tus hábitos diarios, tus relaciones y tu manera de pasar el tiempo. Las recetas para la felicidad sirven de guía para saber cómo influenciar ese 40%. Te mostraré estas recetas, te daré instrucciones para que sepas usarlas y te daré ejemplos reales de cómo otras mujeres las han practicado para generar más felicidad y gozo en sus vidas.

Temas de conversación

Al final de cada receta para la felicidad, encontrarás un tema de conversación diseñado para mostrar los cambios y las dinámicas culturales que influyen en ti y en tu capacidad de ser feliz, aunque no te hayas dado cuenta de ello. Serás motivada a hablar de estos temas de conversación con otras personas y desarrollar tu propio plan de acción para evitar que estas dinámicas te apaguen el gozo.

Al comienzo de cada tema de conversación encontrarás preguntas que puedes usar para hablar con amigas y obtener claridad sobre tu propio crecimiento y realización. Estas preguntas están destinadas a facilitarte el diálogo y la conversación con las mujeres que te rodean a fin de que puedan hablar de esa receta para la felicidad en particular y de cómo utilizarla correctamente. Y, aunque no converses de esas preguntas con otras mujeres, te animo a explorar tus propias respuestas a esas preguntas. De este modo, empezarás a formar intencionalmente tus pensamientos y opiniones acerca de cómo ser más feliz.

Mi objetivo es que termines este libro equipada con las herramientas que necesitas para ser más feliz y que adquieras más consciencia de los factores culturales que debes enfrentar a lo largo de tu travesía. En ocasiones, los factores culturales parecerán un poco negativos. Desearía

6. Sonja Lyubomirsky, *The How of Happiness* (Nueva York: Penguin Press, 2008).
7. Ibíd.

que no fuera así, pero es la realidad que enfrentamos. La buena noticia es que, aun así, puedes hacer mucho para lograr la felicidad.

12 mitos sobre la felicidad que toda mujer debería conocer

Solo una cosa más antes de adentrarnos en el tema. Hay algunas ideas falsas —vamos a llamarlas mitos— que muchas de nosotras aceptamos con respecto a la felicidad. Vamos a meternos de lleno y demostrar que no son ciertos. Algunos te sorprenderán. Otros te resistirás a creer que se tratan de mitos. Tomar más consciencia de esto te ayudará a tomar decisiones sabias y establecer expectativas que te sirvan y te ayuden a ser feliz mientras caminas resueltamente hacia el destino de tu vida.

1. Tú sabes qué te haría feliz.

Las expresiones de deseo, como "si tuviera o fuera tal cosa", hacen que muchas mujeres tropiecen en el camino hacia la felicidad. Pero, en realidad, investigaciones confirman que somos muy malas pronosticadoras de lo que nos hará felices. Es la triste verdad. Pensamos que una relación o un nuevo trabajo o estar a cargo de una empresa nos hará felices. Pero la verdad es que la felicidad es un estado de ánimo. Lo que nos hace feliz es nuestra actitud hacia la vida. De hecho, la felicidad ha sido definida por "cómo te *sientes* con la vida que te ha tocado". Es subjetiva. Y si no puedes ser feliz hasta que tengas todo lo que quieres, es probable que no seas feliz cuando tengas todo lo que quieres. Porque, si la felicidad tiene que ver con tachar los ítems de tu lista de cosas y personas que necesitas para ser feliz, esa lista seguirá creciendo mágicamente.

2. El éxito produce felicidad.

Casi todo lo que perseguimos en la vida lo hacemos porque creemos que nos hará más felices; ya sea el amor o una carrera o adelgazar o ganar dinero. Con el éxito sucede lo mismo. Pero el mito de que el éxito produce felicidad simplemente no es cierto. En realidad es al revés. La actitud, la emoción positiva y el optimismo que acompañan a la felicidad traen el éxito. Estudios revelan que las personas más felices son más propensas a ser promovidas, a ganar más dinero y a perseverar frente a las adversidades.

3. La felicidad depende de las circunstancias.

Es una frase pegadiza y parece lógica: "La felicidad depende de nuestras circunstancias". Pero no es verdad. En realidad, las circunstancias representan solo el 10% de nuestra felicidad. Diferentes estudios revelan que, después de dificultades o incluso de circunstancias trágicas, la gente vuelve a tener casi el mismo nivel de felicidad que tenía antes que cambiaran sus circunstancias. De modo que una persona infeliz sigue siendo infeliz y una persona bastante feliz se adapta a las nuevas circunstancias y vuelve a ser feliz.

4. Enfocarse en la felicidad es egoísta.

"Yo sé que nada hay mejor para el hombre que alegrarse y hacer el bien mientras viva; y sé también que es un don de Dios", proclama el rey Salomón en el libro de Eclesiastés en el Antiguo Testamento. Por lo tanto, ¿por qué tantas personas de fe piensan que enfocarse en la felicidad es "egoísta"? Lo cierto es que la felicidad es buena para nuestra salud y es contagiosa. ¿Qué mejor manera de vivir la vida que hacerlo con una actitud positiva y un nivel de felicidad que anime a otros?

5. Con muchas más oportunidades y más avances en el ámbito laboral y en la sociedad, las mujeres son más felices hoy que hace cuarenta años.

Me encantaría afirmar que es cierto, pero no lo es. Hoy día, las mujeres afirman ser menos felices que en 1972 y, en realidad, los hombres afirman ser más felices. Aún peor, en promedio, las mujeres se sienten más tristes y menos realizadas a medida que envejecen, mientras que los hombres afirman sentirse más realizados.

6. Las mujeres que trabajan se sienten más felices y más realizadas.

Detesto decirlo, pero esto tampoco es verdad. Las mujeres que son amas de casa afirman ser más felices que aquellas que trabajan. Esto no me resulta para nada sorprendente. A pesar de lo mucho que amo lo que hago y de saber que estoy cumpliendo mi propósito, hay días que sueño con no trabajar. ¿Te suena familiar? Sentirte realizada en la vida puede lograrse de muchas maneras, y millones de mujeres lo han logrado sin trabajar.

7. Tener hijos te hará más feliz.

No estoy sugiriendo en absoluto que no deberías tener hijos, pero numerosos estudios a lo largo de varias décadas revelan que las mujeres casadas con hijos son menos felices que las mujeres casadas sin hijos. Por tal razón, puedes imaginar que las mamás solteras afirman tener mayores niveles de estrés y menos felicidad que las mujeres solteras sin hijos. Los hijos son un regalo de Dios, pero, en el mundo de hoy, también producen un nivel de estrés y ansiedad que afecta la felicidad.

8. "Si ganara más dinero, sería más feliz".

En realidad, existen pocas maneras en que el dinero te hará más feliz. Y para aquellas personas que perciben ingresos anuales que superan los $ 75.000 en los Estados Unidos, el aumento de la felicidad es mínimo.[8] Si vives en pobreza con un sueldo mínimo y de golpe pasas a ganar tres veces más, tu felicidad aumentará tremendamente. Esto se debe a que es esencial para ser feliz ganar lo suficiente para suplir nuestras necesidades. Pero una vez que tus necesidades están cubiertas, el dinero no es lo más determinante para la felicidad. Ser generosa con tus ingresos te hará más feliz. Así como vivir por debajo de tus posibilidades económicas.

9. "Si viviera en un barrio mejor, sería más feliz".

En realidad, serás más feliz en un barrio que sea un poco inferior a lo que puedes pagar. Parece ser que somos más felices cuando vivimos en un entorno donde nos va un poco mejor que a quienes nos rodean. Eso disminuye la presión de la competencia entre vecinos. Por consiguiente, tienes menos probabilidades de sentirte perdedora, inferior o relegada, todo lo cual es bueno para tu felicidad.

10. El matrimonio hace sentir más felices a las mujeres y más encerrados a los hombres.

Seguramente habrás visto el estereotipo en algunas series televisivas de comedia. El hombre casado se queja de tenerle que pedir permiso a

8. Daniel Kahneman y Angus Deaton, "High Income Improves Evaluation of Life but Not Emotional Well-Being", *Proceedings of the National Academy of Science of the United States of America 107*, no. 38 (4 de agosto, 2010): 16489-93, http://www.pnas.org/content/107/38/16489.

su esposa para salir con sus amigos o se siente frustrado por el fastidio de su esposa o sus incesantes pedidos de cosas para hacer. Nos muestran al hombre pataleando y gritando mientras lo llevan a la rastra al matrimonio. Y, desde luego, muestran a las mujeres que se mueren por casarse. Es un estereotipo cultural intrigante, ya que diversos estudios revelan que, en realidad, los hombres son más felices que las mujeres en el matrimonio. Y, cuando los hombres se divorcian, son más propensos a volverse a casar que las mujeres, y se vuelven a casar más rápido que ellas.

11. La felicidad es fácil.

¿Sí?... no en el mundo de hoy. Estamos siendo constantemente bombardeadas por mensajes que nos afirman que no podemos ser felices hasta conseguir una promoción, una relación, una casa, el cuerpo perfecto. Y tenemos menos sistemas de apoyo que nos produzcan felicidad —familia cercana, vecinos conocidos, menores gastos— y menos expectativas.

12. "Tenerlo todo" te hará feliz.

Este es un tema de debate. Por cómo están las cosas, cada vez hay más mujeres que prefieren no intentarlo o que lo están intentando y parece que no logran "tenerlo todo" aunque quieran. El 43% de las mujeres nacidas entre 1960 y 1980, que son graduadas universitarias, no tienen hijos. De las que tienen hijos, una cantidad récord está optando por dejar de trabajar para quedarse en casa con sus hijos. Y las que están trabajando y criando hijos enfrentan factores estresantes que atentan contra la felicidad. Con esto no estoy diciendo que no hay mujeres que "lo tienen todo", pero lograrlo "todo" —un esposo, hijos, una carrera estelar, un cuerpo escultural y la felicidad— requiere una alineación de circunstancias que pocas mujeres tienen.

¿Y tú? ¿Cuáles de estos mitos creías que eran ciertos? Y ¿cómo han influido en qué tan feliz te sientes con tu vida? En este libro, te invito a dejar de lado los mitos y empezar de nuevo con un nuevo concepto de lo que necesitas para ser feliz. Se trata de renovar la mente y descartar todas las creencias que en realidad sabotean tu felicidad, y de aprender las habilidades para la felicidad que realmente funcionan. Con una combinación de investigaciones contundentes, sabios conceptos bíblicos, historias de la vida real y temas de conversación para ti y tus amigas, comenzaremos una travesía que transformará tu vida.

¿Estás preparada? Entonces, comencemos.

RECETA PARA LA FELICIDAD #1

Expectativa

Usa el poder de la expectativa positiva para mejorar tu estado de ánimo.

Decisión:

"Me propongo tener algo que me genere expectativa cada día".

Sola y deprimida por la aparente falta de hombres solteros agradables con los cuales poder formar pareja en su ciudad, Sandra se quejaba por sus fines de semana sin nada especial para hacer y sus noches solitarias de entre semana.

"Solo quiero tener a alguien con quien salir y pasarla bien —dijo durante una sesión de consejería—. ¿Es pedir demasiado?".

Bueno, tal vez no. Ella es una muchacha atractiva e inteligente, y cualquier muchacho desearía salir con ella. Su pregunta es una que la mayoría de las mujeres en su misma situación podrían preguntarse. Pero yo tenía una pregunta más importante para Sandra. Le dije: "En vez de esperar que aparezca alguien y te dé una 'razón' para hacer cosas divertidas e interesantes, ¿por qué no haces cosas divertidas e interesantes, ya sea que tengas con quien hacerlas o no?".

—Es que no me gusta salir sola —explicó.

—Está bien, no salgas sola. Pídele a una amiga que salga contigo —le dije.

Sandra hizo una pausa. A pesar de ser una simple sugerencia, de algún modo fue como una información nueva para ella. Normalmente ella esperaba que las amigas la invitaran a salir, pero nunca había hecho planes e invitado a alguien a salir juntos. ¡Con razón estaba aburrida!

Ella no era la creadora de su experiencia de vida; lo dejaba librado al azar. Cuando otros crearan las vivencias y la invitaran a participar, ella participaba, desde proyectos de trabajo hasta fiestas de cumpleaños de niños de un año, pero nunca era idea de ella.

Le propuse a Sandra que planeara algo interesante para hacer la semana siguiente. Ella aceptó el reto con entusiasmo y reconoció que su actitud era un poco rígida en cuanto a planificar algo con antelación. Esa semana, un grupo del que siempre había querido participar se reunía en un restaurante local y Sandra invitó a una compañera a ir con ella. En un repentino giro de los acontecimientos, aquella noche Sandra conoció a un muchacho. A las pocas semanas, comenzaron una relación.

Ahora bien, no estoy sugiriendo que, si das un paso, encontrarás al amor de tu vida. Lo que digo es que, una vez que tomes el control de tu vida y planifiques con antelación —algo que te genere expectativa—, te sorprenderás de cuántas otras cosas que tanto esperabas pueden ocurrir.

Pronto Sandra empezó a utilizar el poder de la expectativa en su vida diaria. Invitaba a amigos a cenar. Planificaba tomarse largos baños de espuma. Se metía en la cama temprano para leer un buen libro. Y, además, se inscribió en un club de ciclismo que le recomendó una compañera del trabajo y empezó a participar de esa actividad los sábados por la mañana. Ella tenía algo en su agenda que le generara expectativa casi todos los días de la semana.

En los próximos siete días de tu agenda, ¿cuántas actividades dirías que son cosas que esperas con ansias? La felicidad, en gran medida, es tener algo que esperar con ansias. Es hallar deleite en lo que tienes por delante. Es entusiasmarte, incluso, por ese trozo de pastel que has estado esperando comer durante toda la semana o por ver a esa amiga con quien finalmente vas a encontrarte mañana. La receta de la expectativa es fácil de implementar, pero debes tener la intención de hacerlo. En otras palabras, debes hacer una de dos cosas:

- Fijarte en lo que ya tienes por delante que esperas con ansias.
- Crear algo que te genere expectativa.

Cuando yo era niña, mis padres siempre me decían que, si estaba aburrida, era mi culpa. Significaba que estaba esperando que alguien me entretuviera, en vez de usar mi propia creatividad para buscar algo constructivo e interesante para hacer con mi tiempo. Como adultos, nunca nos aburrimos (¡tenemos demasiado que hacer para estar aburridos!); pero podemos quedar atrapados en la rutina y sentir que cada día solo representa una serie de cosas para hacer y tachar de nuestra lista de tareas a realizar. ¿Cuántas veces te despiertas genuinamente entusiasmada por el día que te espera? ¿Qué necesitas para que esa sea tu realidad?

Piensa en lo que tienes por delante

Quizás te puedas identificar conmigo. A veces, cuando tengo la agenda realmente llena, puedo caer en la rutina y tener aprensión por lo que me espera. Durante años he construido una vida que realmente me gusta, por ello es raro que en mi agenda haya algo que, cuando llegue el momento, *no quiera* hacer. Pero cuando tengo demasiado que hacer de lo mismo, me olvido del hecho de que es algo emocionante y empiezo a enfocarme simplemente en el hecho de que es demasiado de lo mismo. Por lo tanto, he aprendido a hacer una pausa cuando reviso mi agenda, luego respiro y me meto de lleno en las actividades previstas para el día. No se trata solo de "cosas para hacer"; sino de mi vida. Y estoy agradecida por ella. Y, en su mayor parte, es algo que espero con ansias.

Cuando la vida se convierte en una rutina repleta de trabajo, obligaciones y cualquier otra cosa que forme parte de tus interminables ocupaciones, tu gozo se apaga. ¿Qué esperas con ansias hoy? ¿Y la semana que viene? ¿O dentro de tres meses? Investigaciones revelan que la expectativa —el entusiasmo por una circunstancia futura— incrementa la emoción positiva y estimula la felicidad. Pero, cuando tu agenda está llena y la vida se convierte en una monotonía de tareas y obligaciones diarias, es probable que no sientas expectativa y entusiasmo. La buena noticia es que puedes tomar la determinación de crear algo que esperes con ansias cada día. De hecho, si quieres ser una mujer feliz, debes hacerlo. En su mayoría, las mujeres felices hacen esto de manera natural. Puede que ni siquiera lo reconozcan conscientemente, pero si les preguntas por su agenda, notarás que tienen programadas actividades que les provocan entusiasmo algunos días de la semana y del mes.

¿Tienes una reunión a las 11 de la mañana? En vez de considerarla como otra reunión más, considérala como una oportunidad de avanzar y ser productiva. ¿Has quedado con alguien para almorzar y piensas que te va a hacer perder tiempo? Disfruta ese momento como una pausa para almorzar y hablar con esa persona en paz en medio de un día agitado. ¿Esta tarde tienes que llevar a tu hija rápidamente a una clase de gimnasia? Recuerda el día cuando soñabas tener una hija y deléitate en el hecho de que tienes una pequeña hija activa y sana que está floreciendo delante de tus mismos ojos. ¡Ah! ¿Vas a mirar la final de tu programa de TV favorito acurrucada en el sofá a las 9 de la noche? Exprésale a alguien lo ansiosa que estás por verlo. Expresar tus sentimientos es una clave de la expectativa.

Multiplica las emociones positivas

La expectativa tiene que ver con estimular las emociones positivas sobre el futuro. De hecho, cuando manejas bien la expectativa, puedes obtener tanta emoción positiva de tu expectativa por esa circunstancia como de la circunstancia en sí. Hay un dicho que lo expresa bien: "Se trata de disfrutar el viaje en sí, no solo el destino". Planificar tus vacaciones es un ejemplo perfecto de esto, desde buscar empresas de viaje por Internet y ver las impresionantes fotografías de los destinos paradisíacos que ofrecen e imaginarte a ti misma allí, hasta comprar tu pasaje de avión y planificar en detalle lo que harás una vez que llegues. Si se trata de un viaje en familia o en grupo, programa una reunión con ellos para planificar el viaje y comenzar a contar los días. Cada oportunidad de generar entusiasmo y alegría con antelación a un acontecimiento multiplica tu emoción positiva.

Si no hay nada que te genere expectativa, ¡crea algo!

Puede que seas como Sandra. Si miras tu agenda y no encuentras mucho que te genere expectativa, es hora de actuar con decisión y creatividad. ¿Cuánto hace que has estado pensando en hacer algo? Tal vez haya llegado el momento de hacerlo realidad. ¿Has obtenido un gran logro recientemente o estás por obtenerlo? Piensa en una manera de celebrarlo. Ya sea un pequeño reconocimiento (recompensarte con ese nuevo par de zapatos que tenías pensado comprarte) o una gran fiesta (así que si nunca has hecho una fiesta, ¡esta será tu primera fiesta!), la celebración genera expectativa.

El poder de la novedad: Intenta algo nuevo

Una manera emocionante de tener algo a esperar con ansias es intentar algo nuevo. La novedad genera felicidad al impedir que tu vida sea monótona. Y, cuando siempre tienes alguna actividad diferente para realizar o algo nuevo para aprender, esa nueva aventura te genera expectativas. Recientemente, decidí que quería cultivar algunas hortalizas. Eso siempre me ha intrigado. Aunque pasaba los veranos con mis abuelos y mi abuela tenía un terreno de cultivo de 2000 m^2 con maíz, repollo, remolacha, papas y tomates, y una extensa huerta con árboles de manzana, ciruelas, moras, etc., nunca tuve idea de cómo esos alimentos brotaban del suelo. Como adulta, y especialmente ahora que lo orgánico es tan popular, me he preguntado cómo hacían mis abuelos para cultivar. Así que empecé simplemente con una planta de tomates.

Justo hoy coseché mi primer tomate rojo maduro y jugoso. Sé que parece un eslogan comercial, ¡pero era fresco y sabroso! Cada mañana espero con ansias salir a regar los tomates. Me pregunto cuántos más van a madurar y pasar de estar verdes a naranja y de naranja a rojos. Me entusiasma ver cómo brotan de la planta nuevos tomates pequeñitos. Y siento mucha gratificación de saber que yo los he cultivado y los he ayudado a crecer. ¡Pensé que producir cultivos era más complicado que esto! Aprendí algo nuevo. Y me hace feliz.

Expectativa diaria: ¡Gracias a Dios es lunes!

Otra manera excelente de estimular tu felicidad con el poder de la expectativa es elegir una carrera laboral que te guste de verdad. Con el gran porcentaje de tiempo que consume el trabajo en la vida de las mujeres hoy, tener ansias por llegar al trabajo es magnífico. Considera esta situación de mi propia vida:

Pasé la última víspera de Año Nuevo en una playa de Miami. Disfruté alegremente cada minuto de mis doce días de vacaciones de Navidad en familia, con descanso, juegos y siestas al son de las olas del Atlántico que rompían sobre las costas del sur de la Florida. De hecho, no regresé hasta la noche de Año Nuevo. Apenas el avión tocó tierra en el aeropuerto de Atlanta empecé a recriminarme (bueno, a quejarme dentro de mí) y a pensar: "¿Por qué no cerré la oficina el 2 de enero también?".

Aunque hubiera sido bueno tener un día intermedio para volver a entrar en ritmo, mi espíritu se sentía rejuvenecido y estaba entusiasmada por el nuevo año. Estaba lista para volver al trabajo. De modo que el 2 de enero me dirigí a la oficina. Apenas detuve el auto, mi asistente me envió un mensaje de texto: *Bien… según el calendario, tienes el día libre hoy. Solo para avisarte.*

De haberlo sabido, me habría quedado en la cama. Pero estaba vestida (¡y nada menos que muy bien vestida!) y lista para empezar a trabajar. Así que salí del auto y entré a la oficina. Al mediodía, cuando mi padre me llamó por teléfono, relajado en la casa, porque tenía libre toda la semana, le conté la historia.

—¡Hoy tenía el día libre, pero me enteré cuando ya estaba aquí!

Su respuesta y la de otros fue la misma al contarles irónicamente mi dilema de ese día.

—¡Vaya! ¡Eso es tener pasión! ¡Es obvio que realmente te gusta lo que haces, de no ser así no estarías trabajando a pesar de tener el día libre!

¡Qué curioso! No lo había pensado de esa manera, pero es verdad. *Me gusta lo que hago.* Y estoy agradecida. Pero no siempre fue así. En un momento dado, me sentía infeliz con mi carrera anterior. Era buena para ese trabajo, pero no me apasionaba en absoluto. En 1999 tomé la decisión deliberada de buscar mi propósito y cumplirlo. A pesar de mis peores temores de no poder vivir de eso (que te paguen para "inspirar" a otros no forma parte de los 10 mejores empleos según la revista *Forbes*), decidí intentarlo. Mis peores temores no se hicieron realidad. Pero sí mis sueños. Para el año 2001, me estaba dedicando a esto a tiempo completo.

¿Estás trabajando en algo que te gusta? Si no, ¿por qué no preparas un plan para empezar a hacerlo? Hacer un sueño realidad comienza con este simple pensamiento: *Es posible.*

Al principio no tienes que saber exactamente cómo hacerlo realidad. Solo necesitas creer que es posible y empezar a moverte en la dirección correcta mientras te haces la clase de preguntas que te llevarán por ese nuevo camino. Toma la decisión de hacer lo que te gusta. Empieza de a poco. Empieza ahora mismo. Yo empecé a dedicarme a lo que me gustaba a medio tiempo mientras trabajaba en mi propia agencia de relaciones públicas. El camino no siempre fue fácil, pero valió totalmente la pena. No hay nada como levantarse en la mañana entusiasmada por el día que tienes por delante y saber que vas a influenciar positivamente la vida de alguien. Es divertido poder decir: "¡Gracias a Dios es lunes!".

Saborea el momento cuando llegue

Esperar algo con ansias es saborear el futuro, pero hay dos maneras más de saborearlo que hará que valga mucho más la pena: saborear el momento cuando llegue y luego rememorarlo. Una vez que hayas generado expectativas por una experiencia, asegúrate de *disfrutar* realmente la experiencia. En nuestra cultura contenta con los mensajes de texto y saturada de medios sociales, existe una tentación que antes no existía: ¡la tentación de contarle a todo el mundo lo que estás a punto de hacer cuando estás a punto de hacerlo! Resiste esa tentación. Disfruta de lleno tu momento una vez que llegue. Atesóralo. Vívelo. Disfrútalo. Saboréalo. Este momento nunca se volverá a repetir.

Saborea el pasado una vez que el momento pasó

Cuando era niña y vivía en Panama City, Florida, esperaba con ansias y gran expectativa ir a jugar al patio posterior. No era un patio cualquiera. De alguna manera, tuvimos mucha suerte. Vivíamos en una base de las Fuerzas Aéreas y resultó ser que el fondo de nuestra casa daba al golfo de México. La vista era espectacular. De modo que, a los cinco o seis años de edad, uno de mis pasatiempos favoritos era sentarme en la mecedora del patio posterior y ver los delfines saltar y jugar alrededor de unos postes que estaban a unos 100 metros de la orilla. Mientras lo hacía, contaba la cantidad de delfines y las veces que saltaban. Me entusiasmaba ver cuando saltaban por completo por sobre los postes más que cuando se asomaban por sobre el agua. Era un verdadero deleite para mí ver cuando los delfines salían a jugar.

Apenas unos meses antes de cumplir siete años, mis padres me llevaron a la cocina y me explicaron que nos íbamos a mudar. Al principio no entendí realmente de qué se trataba; nunca se me había ocurrido que podríamos vivir en otro lugar que no fuera allí. Y no nos estábamos mudando de barrio, ni siquiera de ciudad. Nos estábamos mudando a otro país: Alemania del Oeste. Cuando se acercó el momento de mudarnos, indudablemente mi mente de una niña de seis años quería llevarse grabada para siempre la dicha que sentía al jugar en el patio posterior. De alguna manera, incluso a tan temprana edad, yo sabía cuán especial era. Recuerdo sentarme en la mecedora y repetir en mi mente el año y el lugar y tomar una fotografía mental de la bella vista que tenía frente a mí. Incluso ahora, décadas después, puedo cerrar mis ojos y sentirme transportada a ese feliz momento en el tiempo.

Piensa en un momento específico de tu pasado cuando estabas llena de alegría. ¿Qué sucedía? ¿Cómo te sentías? ¿Quién estaba contigo? "Saborear el momento" es una manera extraordinaria de inducir emociones positivas. Hay tres momentos a saborear: el pasado, el presente y el futuro. Aunque la expectativa tiene que ver con saborear el futuro, cabe destacar que también puedes generar emociones positivas al saborear el momento que una vez esperaste con expectativa. Ya sea con una fotografía mental, una fotografía real o una conversación, pasa unos minutos rememorando un momento especial. Saborear el pasado es una manera de extender la alegría más allá del momento.

Expectativa positiva en lugar de expectativa negativa

En el contexto de la felicidad, la expectativa es positiva. Sin embargo, debemos reconocer que a veces la expectativa puede ser totalmente negativa. Puede producir ansiedad (negativa). Actualmente, raras veces me pongo nerviosa antes de impartir una conferencia. Pero cuando estoy nerviosa, siempre se debe a una cosa: pensar en la posibilidad de que la conferencia salga mal, que no pueda conectarme con los oyentes y que las personas que me convocaron terminen terriblemente desilusionadas. En realidad, eso nunca ha sucedido, pero, de alguna manera, me surge este pensamiento y de repente me inquieto. Uno de mis consejos favoritos viene del apóstol Pablo, cuando dijo: "No se inquieten por nada; más bien, en toda ocasión, con oración y ruego, presenten sus peticiones a Dios y denle gracias" (Fil. 4:6). Acostúmbrate a hacer esta pregunta: ¿Qué resultado *quiero*?

Cinco maneras simples de generar expectativa

1. Establece una meta.

Es imposible ser feliz sin metas. Ahora bien, tus metas no tienen que ser conquistar el mundo, pero tu vida necesita un objetivo: "Esta semana voy a correr un total de 15 kilómetros", "El año que viene vamos a cumplir nuestro sueño de ir de vacaciones a Paris", "En cinco años voy a estar completamente libre de deudas". Establece metas importantes con un marco de tiempo razonable. Cierra los ojos e imagínate logrando esa meta.

2. Haz una lista de placeres simples.

Es más fácil estimular tu felicidad con la receta de la expectativa si no tienes que idear algo en el mismo momento. En cambio, dedica cinco minutos a hacer una lista de placeres simples. Incluso, podrías escribirlos en pequeños papelitos individuales y colocarlos en un frasco de expectativas. Saca uno cada vez que sea el momento de agregar algo nuevo a tu agenda.

3. Coméntaselo a alguien.

No mantengas tu expectativa en secreto. ¿Qué es aquello que más esperas? Coméntaselo a una amiga. Dile por qué es tan significativo para ti. Cuéntale qué vas a sentir cuando llegue el momento.

4. Súmale más alegría.

Cuando comienzas a hablar de algo que esperas con ansias, sucede algo divertido. Empiezas a pensar en la manera de hacer que ese momento sea aún más significativo. Puedes invitar a alguien a acompañarte. O tal vez puedas incorporar otras recetas para la felicidad con el fin de multiplicar el efecto. Por ejemplo, crea algo que te genere expectativa y que nunca has hecho (receta para la felicidad: la novedad) o sorprende a alguien necesitado con algo que realmente le sea de bendición. Disfruta su reacción (servicio). Sé creativa. Súmale más alegría.

5. Comienza a contar los días.

¿Recuerdas cuando eras niña y sabías exactamente cuántos días faltaban para que llegaran las vacaciones de verano y terminara la escuela? Gran parte de la diversión era la cuenta regresiva. Lo mismo sucede con el hecho de generar expectativa intencionadamente. Sé una niña y empieza a contar los días. Lleva la cuenta en la pizarra de tu oficina o tacha cada día que pase de un almanaque pegado en la refrigeradora o en el espejo del baño. Con cada día que pasa, el momento está más cerca.

¿Quién te genera expectativa?

Ya que estamos hablando de tener algo que te genere expectativa, ¿por qué no lo aplicas a tus relaciones? Idealmente, deberías rodearte de personas que tengas ansias por ver, ¡eso debería ser algo obvio! Para saber si alguna de tus relaciones —amigos o tu pareja, por ejemplo— te da más energía o te consume la energía, debes considerar si realmente esperas con ansias estar con esa persona. Si quieres ser más feliz, ponte el objetivo de estar rodeada de personas que te generen "expectativa". Si no es así, cabe preguntarse: "¿Cómo podemos enriquecer esta relación de tal modo que esperamos con ansias vernos uno al otro?". Ya debes saber que algunas personas de tu entorno, simplemente no van a cambiar. Y eso podría significar que debes establecer algunos límites. Hay pocas cosas que afectan más nuestra felicidad que nuestras relaciones.

A menor expectativa, menor será tu ansiedad

Aunque parezca contrario a la lógica, tengo que mencionarlo. Es posible exagerar con esta receta para la felicidad. Cualquier fortaleza, cuando se usa exageradamente, se convierte en una debilidad. Si tienes la tendencia a exigirte demasiado, puede ser fácil ponerte expectativas que te provoquen más estrés y te hagan más mal que bien. De hecho, la expectativa también puede tener que ver con permitirte disminuir un poco tus propias exigencias. Quiero que asimiles este concepto por un momento. Piensa en aquello que más te exiges actualmente. Has puesto tanta expectativa en ello que es como un globo completamente lleno del aire de la expectativa. ¡Si lo inflas un poco más, reventará! Todo debe estar alineado en perfecto orden para que la expectativa se cumpla. ¡Ah! Y, además, puede ser que te fijes plazos de tiempo para nada flexibles. ¿Has pensado en eso?

Ahora bien, cierra tus ojos, respira hondo e imagínate que eres un poco más flexible con esa meta. Sigues queriendo que todo salga como lo deseas, pero rebaja tu exigencia de cómo deben ser las cosas. Reflexiona en las palabras de Jesús: "Porque mi yugo es suave y mi carga es liviana" (Mt. 11:30).

Cuando nuestras expectativas sobre lo que debe suceder empiezan a alinearse con la perfecta voluntad de Dios para nuestra vida, ya no es una carga. El yugo es suave.

Las expectativas altas generan presión y aumentan la probabilidad de desilusionarnos. Ahora bien, no estoy diciendo que no deberías tener expectativas altas, pero debes elegir bien sobre qué tendrás expectativas altas. Si tienes expectativas altas sobre todas las cosas, también serán altas tus probabilidades de desilusionarte y estresarte. Si algunas de esas expectativas tienen que ver con cosas no tan importantes, te has causado una desilusión y un estrés innecesarios. La meta es generar felicidad, no estrés.

¡Practica esta receta para la felicidad!

- Échale una mirada a tu agenda para la próxima semana. ¿Qué esperas con ansias? ¿Cómo puedes aumentar el deleite de esas actividades? Si no hay nada que te genere expectativa, ¿qué puedes crear y añadir a tu agenda?
- Haz una pausa. Cierra los ojos, respira hondo y ahora imagínate disfrutando de una actividad que esperas con ansias. Esto se llama saborearlo con antelación.
- Coméntale a alguien qué estás esperando con ansias. La expectativa no debe mantenerse en secreto. Expresar tu entusiasmo por lo que estás esperando con ansias —no importa cuán pequeño o grande sea— es clave para que esta receta dé buen resultado.
- Saborea el momento. Cuando llegue aquello que estás esperando, vívelo plenamente. No permitas que las distracciones te impidan disfrutarlo.
- Recuérdalo con cariño. Rememorar momentos felices del pasado es saborear el pasado. ¿Qué disfrutaste más? ¿Cómo te sentías? ¿Qué significaba para ti? Habla de ello. Y escríbelo en un diario personal. Escribir un diario personal es una excelente manera de reflexionar en los momentos felices importantes. Y, cada vez que quieras estimular una emoción positiva, ¡puedes repasar tu diario personal y saborearlo un poco más! O confecciona un álbum de recuerdos o fotos (¡virtual también funciona!) para rememorar tus momentos.
- Establece una meta nueva y significativa y describe cómo será para ti alcanzar esa meta.
- Haz una lista de placeres simples. Luego escoge uno para agregar a tu agenda hoy.

TEMA DE CONVERSACIÓN

¿Deberías tenerlo todo en la vida?

Las altas expectativas y el estrés de ser una mujer del siglo XXI

Preguntas para iniciar el diálogo

- ¿Qué significa para ti "tenerlo todo"?
- ¿Te sientes relegada en la vida, como si, de alguna manera, hubieras perdido el tren y estuvieras tratando de alcanzarlo? ¿En qué sentido?
- ¿Qué necesitas para ser feliz en este momento, aunque no puedas tener todas las expectativas que forman parte de tu lista de "tenerlo todo"?

En algún momento, el mensaje para las mujeres ha pasado de "puedes tenerlo todo" a "*deberías* tenerlo todo". Se ha convertido en una expectativa y es una situación de mucha presión. Puede que todo te vaya bien —estás criando a tus hijos y lo haces bien—, pero dejaste el trabajo para enfocarte en tu familia. Una madre de seis hijos me dijo: "Me siento relegada. Quería escribir un libro, pero no lo he hecho. No tengo casi ningún logro profesional". Me senté a la mesa, frente a ella, confundida. Hacía veinte años que estaba casada y tenía un matrimonio exitoso y seis hijos respetuosos, sanos y felices. ¡Eso sí que es un logro! Y, sin embargo, ella sentía el peso de la expectativa de tenerlo todo... y todo al mismo tiempo. La mayoría de las mujeres de hoy cree que debe lograr:

- Una carrera exitosa
- Un esposo cariñoso y exitoso
- Hijos encantadores y adorables
- Una imagen impecable

- Prosperidad financiera
- Un hogar perfecto
- Felicidad

Con todos los avances que hubo en la segunda mitad del siglo pasado —desde opciones profesionales hasta métodos para el control de la natalidad y desde tratamientos para la fertilidad hasta la tecnología que pone al mundo al alcance de la mano— las opciones que tenemos son innumerables. La abundancia de opciones puede producir una clase de estrés que las mujeres de otras generaciones no tenían.

Es de suponer que "tenerlo todo" se refiere a tener todo lo que la mayoría de las mujeres tenía hace algunas décadas (matrimonio, familia), *más* las cosas que los hombres tenían que las mujeres no tenían (igualdad de oportunidades en la educación, los ingresos y las opciones profesionales). Mientras tanto, los hombres no estaban luchando para "tenerlo todo" (todo lo que ya tenían *más las responsabilidades de los hijos y el hogar*). Por lo tanto, cuando las puertas de la oportunidad fuera del hogar se abrieron para las mujeres, nosotras aliviamos parte de la carga de los hombres. Sin embargo, la expectativa de que las mujeres serían las principales responsables de cuidar a los hijos y encargarse del hogar siguió igual. Por lo pronto, la expectativa del hombre como el único proveedor casi ha desaparecido; hoy día la norma es el doble ingreso familiar. Y algunos dirían que, mientras la mayoría de las mujeres aspira casarse y formar una familia, la presión de los hombres por casarse temprano en la vida ha disminuido.

Tal vez sea tiempo de dejar de preguntarnos: "¿Pueden las mujeres tenerlo todo?". Ya sabemos la respuesta: *Sí, podemos*. Y, al parecer, algunas incluso hacen que parezca fácil, pero hazles algunas preguntas y te darás cuenta de que incluso ellas prefirieron redefinir qué es "tenerlo todo". Si una mujer está casada y tiene hijos y una carrera exigente, es probable que tenga un esposo que la respalde y que uno o ambos a veces hayan tenido que relegar sus compromisos profesionales. O puede que tenga una niñera, padres o suegros que la ayudan con sus hijos. Si es soltera, quizás te diga que no quiso terminar soltera a los cuarenta o cincuenta años. Una encuesta a mujeres entre 41 y 55 años, que ganaban más de $ 100.000 al año, reveló que el 40% no tenía hijos y solo el 14% había decidido quedar soltera a esas alturas de la vida.

Por lo tanto sí, podemos tenerlo todo, pero a menudo tenemos que pagar un precio que los hombres no tienen que pagar. Seamos realistas. Aunque la cantidad de hombres "amos de casa" se ha triplicado desde fines de la década de 1990, según la Oficina del Censo de Estados Unidos, todavía representan menos del 3% de los padres que se quedan en la casa. Los hombres exitosos son, simplemente, más propensos a tener el apoyo de una esposa dispuesta a asumir un rol tradicional que le permita a él prosperar en el trabajo sin las exigencias de ser el principal responsable de cuidar a los hijos y encargarse del hogar.

Estoy agradecida por nuestras antecesoras que lucharon por la igualdad de las mujeres. Todos merecemos la oportunidad de cumplir nuestro potencial y usar nuestros dones y talentos independientemente del género. A diferencia de nuestras madres y abuelas, la pregunta ya no es si tenemos la capacidad de tener éxito en cualquier campo de trabajo. Podemos tener éxito —y sobresalir— ya sea en el ámbito laboral o en el hogar. La gran pregunta es: ahora que puedes hacer *ambas* cosas, ahora que tienes tantas opciones que te permiten lograr casi todo lo que quieres en la vida... ¿qué es lo que realmente quieres? ¿Qué te haría verdaderamente feliz? Y, ¿cómo puedes planificar tu vida de tal manera que te sientas realizada y con verdadero propósito? Busca en lo profundo de tu ser tus propias respuestas. Nuestra cultura te ofrecerá muchas opciones. Cada mujer dará respuestas distintas. Ten en claro tus propias respuestas.

RECETA PARA LA FELICIDAD #2

Sonrisas

Estar alegres nos hace sonreír, pero una sonrisa (aunque sea forzada) nos hace estar alegres.

Decisión:

"Me propongo buscar cada día la manera de sonreír, *especialmente los días malos*".

Había una vez un hombre que era uno de los dueños de una empresa donde yo trabajaba. Era un hombre muy alto, con canas y un gran bigote. Lo llamaré Juan. Para mí, una joven de veintitantos años que sonreía mucho, ver que se acercaba caminando por el pasillo podía ser un poco intimidante. Normalmente, mi sonrisa era contagiosa. Cuando yo sonreía, la otra persona al menos asentía con la cabeza o mostraba el atisbo de una sonrisa con la comisura de sus labios. Pero Juan no. Su respuesta siempre era un monótono "hola" con la cara seria, sin ninguna expresión.

Imagina mi sorpresa un día cuando caminaba por el pasillo y, al cruzarme con Juan, él me *sonrió* primero. Pensé que quizás había alguien detrás de mí y él le estaba sonriendo a esa persona, pero no. Estábamos solos. Le sonreí de vuelta. *Debe haberle pasado algo excepcionalmente bueno* —pensé. Y, aunque ese día su sonrisa parecía un poco forzada, era un gran cambio comparado con la cara inmutable que yo conocía. Unos días después, sucedió lo mismo. Al cruzarnos en el pasillo, Juan me sonrió primero.

Después del tercer encuentro con una sonrisa, se lo comenté a una compañera de trabajo. Ella se rio y admitió que se había quedado tan perpleja cuando le sonrió a ella, que le preguntó a su asistente administrativa qué le estaba pasando a Juan esos días. Al parecer, una encuesta entre los empleados para conocer su percepción sobre el desempeño de Juan había revelado que todos consideraban que era una persona intimidante, y la empresa consultora le aconsejó que tratara de sonreír. Juan le había dicho a su asistente: "Está dando resultado. Las personas parecen más comunicativas conmigo últimamente y parecen sentirse más a gusto". Al poco tiempo, la sonrisa de Juan ya no era para nada forzada. Él parecía disfrutar genuinamente su nueva interacción con el personal en la oficina.

"Una sonrisa es una línea curva que lo endereza todo".
PHYLLIS DILLER

Una sonrisa, ya sea forzada o genuina, puede tener un efecto emocional positivo. En realidad, activa la liberación de endorfinas en el cerebro. La sabiduría convencional cree que la felicidad nos hace sonreír, y desde luego es cierto. Pero sonreír o incluso hacer la mímica de la expresión facial de una sonrisa, por ejemplo al morder y sostener un lápiz con los dientes o decir "*iii*" de manera continua, provoca una emoción positiva. Obviamente, es preferible que nos sucedan cosas placenteras que nos hagan sonreír, pero el efecto dominó de sonreír puede cambiarte el estado de ánimo y hacer que te sientas feliz.

Una vez que tu cerebro "siente felicidad" —en otras palabras, cuando experimenta una pequeña emoción positiva— puede provocar en ti pensamientos positivos. Pensar en algo bueno, ya sea en algo por lo que estás agradecida o en la oportunidad que tienes de dedicarte al proyecto que vienes postergando, puede desencadenar un espiral ascendente de emociones positivas.

Esto realmente funciona. Lo he intentado en momentos cuando, con toda franqueza, estaba desanimada. ¿Te ha pasado esto alguna vez? Algo no salió como deseabas o sientes que tu malhumor es justificado y no estás de ánimo para otra cosa. Mira, el malhumor solo hará que sientas lástima de ti misma, o que culpes a los demás o, incluso, que alguien se compadezca de ti: *Pobrecita. Desde luego que no esperamos que hagas nada. Solo sigue con tu malhumor y la cara larga. Te lo has ganado.*

Una vez, cuando me sentía de esa manera, de repente, se me cruzó un pensamiento fugaz: ¿por qué no dejas de sentir lástima de ti misma y sonríes, solo por diversión? Era un pensamiento extraño en medio del malhumor, pero aun así intrigante. Pero había una parte de mí que quería seguir sumida en el malhumor. ¡No lo hagas! —me rogaba, porque sabía que si sonreía, me sentiría mejor, aunque solo un poco. Y, al sentir la más mínima emoción positiva, iba a querer más. De modo que, contra todo criterio de mi autocompasión, levanté lentamente la comisura de mis labios. Sentí la liberación de endorfinas. Pensé qué ridícula debo parecer. Me miré al espejo para ver si realmente estaba sonriendo. Eso me llevó a esbozar una gran sonrisa de oreja a oreja. Me reí de mí misma. Esa mínima emoción positiva me abrió la mente y empecé a pensar: *Además de estar sentada aquí con mi malhumor, ¿qué más estoy dispuesta a hacer por mi situación? Soy una mujer resistente. No voy a dejar que esto me supere. Ya estoy cansada de sentir lástima de mí misma*. En ese momento, las cosas empezarón a cambiar.

Aunque tu mente sabe que la sonrisa es forzada, tu cuerpo no. ¿Por qué no haces una prueba conmigo ahora? Se trata de un simple y pequeño experimento con la sonrisa.

1. Relaja el rostro y eleva las comisuras de los labios. Imagina que estás formando un semicírculo con la boca.
2. Sigue elevando las comisuras de los labios hasta sentir que tus mejillas se agrandan.
3. Continúa hasta sentir que se te arrugan un poco los ojos.
4. Para ampliar tu sonrisa, sonríe hasta mostrar los dientes. Puede que incluso sientas como si tus ojos se iluminaran. ¡Y de hecho se iluminan!

Por más ridícula que te parezca la decisión de sonreír, de todas maneras hazlo. Ahora bien, no me malinterpretes. No estoy sugiriendo que si estás experimentando una grave tragedia en tu vida, todo lo que tienes que hacer es sonreír y todo estará bien. Más bien te estoy diciendo que trates de sonreír en aquellos momentos de la vida diaria, cuando tus hijos vuelcan la leche sobre la mesa por tercera vez en la semana o cuando alguien te encerró en el tráfico o cuando tu jefe *te volvió* a tratar mal y ahora tú sientes deseos de tratar mal a todo aquel que se te cruce en el camino.

Créelo o no, me sucedió esta misma tarde. Tenía que llamar al banco para activar mi tarjeta de crédito comercial. Le pedí a mi asistente que lo hiciera pero, al parecer, no le permitieron activar mi tarjeta y, cuando llamé al banco, me trataron mal por haber pedido a otra persona que hiciera la llamada por mí. Yo estaba en medio de un proyecto y, francamente, parece que a cada dos por tres este banco bloquea mi tarjeta de crédito por sospecha de fraude. Encuentro a menudo que, cuando voy a hacer una compra, inexplicablemente la tarjeta es rechazada. "Bien, Sra. Burton —dice la representante del departamento de fraude del banco—, según nuestros registros usted estuvo en una tienda de Minneapolis y pensamos que era sospechoso". O: "Alguien trató de usar su tarjeta de crédito en un hotel de California y puesto que sabemos que ni siquiera vive cerca de California, decidimos posponer la aprobación de su tarjeta hasta que usted nos llame y podamos verificar que realmente estuvo en California". Cada vez que llamo, digo: "¡Sí, fui yo! Suelo hacer viajes de trabajo. Por favor, ¿puedo utilizar mi tarjeta de crédito ahora?". De modo que hoy, cuando llamé y el tono de la asistente telefónica sugería que mi llamada podía ser fraudulenta, automáticamente mi estrés se disparó. Su actitud parecía ser de desagrado más que de ayuda, como si hubiera llamado para interrumpir su siesta en vez de llamar a un centro donde se supone que ella está esperando para responder llamadas como la mía.

¿Te ha pasado esto alguna vez? Antes de darme cuenta, estaba pidiendo por un supervisor. (¡Sí! ¡Yo, la mujer feliz, perdí la paciencia por completo al hablar por teléfono con una extraña!). Cuando colgué, estaba estresada. Tan frustrada por la llamada, que tuve que cambiar voluntariamente mi estado de ánimo. Hice una pausa. Me froté fuertemente las manos y apoyé mi mentón en ellas. Respiré hondo un par de veces. Cerré los ojos y lentamente sonreí. Tomé aire. Sonreí. Mantuve la sonrisa. Tomé aire. Sonreí. Mantuve la sonrisa. "Señor —dije—, no puedo dejar que estas tonterías me afecten. Gracias porque tengo muchos motivos para estar feliz".

Es una formula simple: respira, sonríe y ora. Y realmente funciona.

Estos son los beneficios de sonreír, incluso en esos días cuando no sientes deseos de sonreír:

- La sonrisa te trasporta automáticamente de un lugar de pensamiento a un lugar de sentimiento. Te ayuda a salir de tu mente y entrar a tu corazón.

- La sonrisa activa la liberación de serotonina, una hormona tranquilizante, así como endorfinas. Estas hormonas te ayudan a relajarte y sentirte mejor. Las emociones positivas resultantes te dan más claridad de pensamientos.
- Sonreír combate los pensamientos negativos. Inténtalo. Vamos, sonríe ahora mismo. Vamos. ¿Estás sonriendo? No sigas leyendo hasta que tengas una sonrisa en tu cara. Muy bien. Ahora, mientras sigues sonriendo, quiero que visualices una situación negativa para ti. Es muy difícil hacerlo ¿verdad?
- Sonreír puede cambiar la atmósfera. Puedes cambiar el estado anímico de un lugar con una sonrisa. La sonrisa es universal. Si alguna vez estuviste en otro país o intentaste comunicarte con alguien que habla otro idioma, sabes que, en cualquier idioma, la sonrisa comunica una actitud amistosa, simpática y alegre.
- La sonrisa conecta a las personas. Puesto que la sonrisa es contagiosa y te traslada de tu mente a tu corazón, es un arma poderosa para llegar al corazón de las personas. Transmite: "Tienes cabida en mi vida".

Una sonrisa segura significa sonreír más a menudo

Las emociones negativas no es lo único que puede impedirte sonreír. Si no te sientes bien con el aspecto de tu sonrisa, es probable que tampoco quieras sonreír. A través de los años he conocido muchas mujeres que, voluntariamente, evitan mostrar sus dientes porque no les gusta cómo se ven. Si tú eres una de ellas, ¿por qué no haces algo al respecto? En mi opinión, no hay mejor tratamiento de cosmética que mejorar la sonrisa. Ya sea con ortodoncia o blanqueamiento dental para aclarar el tono amarillento adquirido por el tiempo, se trata de uno de los pocos cambios cosméticos que realmente incrementa la felicidad, porque te da más confianza para mostrar los dientes al sonreír.

Con los años, he tenido varias oportunidades de asociarme con compañías cuyos productos y valores reflejan los míos, pero una con la que realmente me identifiqué fue con la crema dental Crest. Primero me ofrecieron una campaña con *BET* y *Black Girls Rock* en 2012, y ahora soy parte de la red *Crest SHINE*. Es fácil para mí asociarme con una compañía que ilumina sonrisas, porque cuando te sientes segura del aspecto de tus dientes, ¡realmente es probable que sonrías más! Y más sonrisas significan más felicidad.

La sonrisa de Duchenne

Sonreír hasta que se te arruguen los ojos es más que una liberación de hormonas saludables en el cuerpo que te levanta el ánimo. La sonrisa de Duchenne es aquella que implica los músculos del contorno de la boca y de los ojos y se llama así en honor al médico francés Guillaume Duchenne. A mediados del siglo XIX, el Dr. Duchenne identificó dos tipos de sonrisas: la sonrisa que levanta las mejillas y produce pequeñas patas de gallo en el contorno de los ojos y aquella que posteriormente se denominó sonrisa Pan-Am, en honor a la ya desaparecida aerolínea, cuyas azafatas siempre recibían con una sonrisa amable a cada pasajero que abordaba al avión. La sonrisa Pan-Am solo implica al músculo zigomático mayor, que levanta las comisuras de los labios.

En un estudio realizado en 2001, los investigadores analizaron 114 fotografías de mujeres jóvenes de una universidad para mujeres del área de la Bahía de San Francisco.[1] Las fotos pertenecían a los anuarios de 1958 y 1960. Había solo tres mujeres en las fotos que no sonreían en absoluto; pero, de las 111 que sonreían, algunas esbozaban una sonrisa Duchenne mientras que otras esbozaban una sonrisa PanAm. Se calificaron a las sonrisas en una escala de "Duchenne" del uno al diez y la sonrisa promedio recibió una calificación de 3.8. Los investigadores también calificaron las fotos por el atractivo. Es decir, totalmente aparte de la sonrisa, ¿cuán atractiva era la persona de cada foto? La selección de estas fotos en particular era importante porque las mujeres fotografiadas también formaban parte de un estudio longitudinal. Los investigadores contactaron a las mujeres años después para preguntarles si se habían casado y cuán felices eran en su matrimonio. Interesantemente, descubrieron que las mujeres con sonrisas de Duchenne eran más propensas a contraer matrimonio y ser más felices en su matrimonio años más tarde. Sin embargo, el atractivo no tenía ninguna incidencia en la felicidad matrimonial.

Las sonrisas de Duchenne son genuinas y, por lo tanto, tienden a

1. L. A. Harker y D. Keltner, "Expressions of Positive Emotion in Women's College Yearbook Pictures and Their Relationship to Personality and Life Outcomes Across Adulthood", *Journal of Personality and Social Psychology*, 2001.

indicar la presencia de emociones positivas. Sabemos, por las investigaciones, que las emociones positivas tienen un efecto positivo en la salud, la longevidad y las relaciones, y es interesante ver cómo este estudio lo avala. Desde una perspectiva espiritual, pienso en Nehemías 8:10, que declara: "¡... el gozo del Señor es su fuerza!". En realidad, el gozo nos fortalece de numerosas maneras. Pero el estudio realizado con esas mujeres universitarias no es lo único que señala la correlación positiva entre las sonrisas de Duchenne y los resultados positivos posteriormente en la vida.

Un estudio de 2010, realizado sobre fotografías de jugadores de la liga mayor de béisbol de la temporada de 1952, arrojó resultados igualmente sorprendentes.[2] El estudio analizaba la fotografía de 150 jugadores quienes, en junio de 2009, ya habían fallecido. Los jugadores que no sonreían en las fotos tuvieron una esperanza de vida promedio de 72 años. Aquellos que esbozaban una sonrisa Pan-Am vivieron un promedio de 75 años. ¡Pero aquellos que esbozaban una genuina sonrisa de Duchenne vivieron 80 años! Una sonrisa genuina vale años de vida.

Las mujeres muestran y leen las expresiones faciales más que los hombres

Las mujeres tienden a mostrar sus emociones en el rostro más que los hombres, e investigaciones revelan que, además, somos más propensas que los hombres a leer las expresiones emocionales. Es posible que, como mujeres, nos influya más un rostro sonriente que a los hombres. ¿Podría eso explicar por qué el persistente rostro inmutable de Juan me hacía sentir tan incómoda cada vez que yo le sonreía cuando nos cruzábamos en el pasillo? Podría ser.

Un artículo de la revista *Scientific American* señaló una investigación realizada por la Universidad de Cardiff en Gales sobre mujeres que habían recibido inyecciones de Botox y que por ello habían perdido su capacidad de fruncir el ceño.[3] Los resultados mostraron que aquellas mujeres incapaces de fruncir el ceño dijeron sentirse más felices y menos angustiadas. Interesantemente, no dijeron sentirse más atractivas que las mujeres que no habían recibido inyecciones de Botox. De modo

2. E. L. Abel y M. L. Kruger, "Smile Intensity in Photographs Predicts Longevity", *Psychological Science*, 2010.

3. Melinda Werner, "Smile! It Could Make You Happier", *Scientific American*, octubre, 2009.

que los investigadores concluyeron que la felicidad no puede atribuirse a la frivolidad de tener menos arrugas. "Al parecer, nuestra manera de experimentar emociones no se restringe al cerebro, sino que hay partes del cuerpo que ayudan a reforzar nuestros sentimientos. Es como un ciclo de retroalimentación", observó Michael Lewis, coautor del estudio.

Las emociones negativas no solo hacen fruncir el ceño, sino que el ceño fruncido provoca más emociones negativas. Sin la capacidad de fruncir el ceño, las emociones negativas son menos intensas. Otro estudio, publicado en *Journal of Pain*, reveló que aquellos que tenían una expresión de infelicidad en su rostro mientras experimentaban dolor dijeron sentir más dolor que aquellos que manifestaban una expresión relajada mientras experimentaban dolor. Insisto en que la expresión facial intensifica el sentimiento. Estos descubrimientos concuerdan con la respuesta psicológica de una sonrisa. No solo sentirte alegre te hace sonreír. Una sonrisa en el rostro te hace sentir alegre. Hay un ciclo de retroalimentación entre el rostro y los sentimientos.

Sin embargo, no deberías evitar fruncir el ceño cuando estás triste para frustrar regularmente tus emociones negativas. Investigaciones revelan que si suprimes por completo tus emociones negativas, eventualmente aflorarán de otra manera.

Aunque la ciencia demuestre que la sonrisa —ya sea genuina o no— puede producir emociones de felicidad, en realidad es mucho mejor cuando tienes una razón real para sonreír. A veces, esto significa tomarte menos en serio. Encontrar la manera de reírte de ti misma —o simplemente tener un *momento* de risa— es la manera segura de tener una sonrisa genuina.

Por el simple hecho de reírnos

"Gran remedio es el corazón alegre, pero el ánimo decaído seca los huesos" (Pr. 17:22).

Si alguna vez viste la serie de televisión *Seinfeld*, tal vez recuerdes el episodio cuando Jerry sale con una mujer y sus amigos le señalan que ella nunca se ríe. Más bien, cuando Jerry dice algo divertido, ella responde con un tono inexpresivo: "Eso estuvo divertido". Es bastante irónico dado que ella está saliendo con un comediante. Y esto me lleva al siguiente punto: no debemos contener, controlar o moderar la risa.

LOL [por sus siglas en inglés: reírse en voz alta] se usa tanto hoy día que, en realidad, ¡nadie lo dice en serio al escribirlo! Pero es hora de que hagas literalmente lo que significa LOL. Literalmente. Cada día debería haber algo que te haga reír en voz alta. De modo que abre la boca. Esboza una gran sonrisa. Ríete… a carcajadas. No puedes reírte con la boca cerrada, es ridículo y pareces congestionada. Una vez conocí a una mujer que siempre se reía con la boca cerrada, como si fuera a meterse en problemas si dejaba salir su risa. Apretaba los labios y hacía un pequeño sonido risueño con su garganta. A veces, cuando era demasiado difícil contener la risa, exhalaba y, al salir por la nariz, sonaba como un ronquido espantoso.

—¿Cómo haces para reírte en silencio? —le pregunté un día.

Ella se rio (con la boca cerrada) ante mi pregunta y luego dijo:

—No había pensado en ello. ¿Eso es lo que hago?

—Sí. ¡Pero quiero que abras la boca y la dejes salir! —le respondí.

—Cuando era niña, me metí en problemas por reírme y una persona de la familia me dijo que no era femenino o de niñas reírse en voz tan alta; así que busqué una manera moderada de reírme que fuera aceptable —dijo reflexivamente.

—¿Sigues creyendo eso? —le pregunté.

—Bueno, en realidad, no —dijo.

Reírse es sano. Y como adultos, no nos reímos lo suficiente. Si te cuesta reírte, pasa un tiempo con bebés. El bebé promedio se ríe 300 veces al día. ¿El adulto promedio? Solo 20 veces al día. Al igual que la sonrisa, la risa es un lenguaje humano universal. Los neurofisiólogos explican que la risa activa la corteza prefrontal ventromedial, la parte del cerebro que produce endorfinas. Se ha demostrado que la risa reduce las hormonas del estrés como el cortisol y la epinefrina. En realidad, puede ayudar a regular el sistema inmune y la capacidad intelectual. Las emociones positivas resultantes expanden tu habilidad de aprender y absorber nueva información. Por eso los oradores a menudo comienzan con un chiste y hacen bien en incorporar el humor en sus presentaciones, no importa qué tan serio sea el tema. Entonces, cómo puedes incorporar más risa a tu vida. Considera estas ideas:

- Tómate las cosas con calma… ¡y ríete de ti misma!
- Pasa tiempo con personas que se ríen.

- Mira algo divertido.
- Juega con un bebé o con niños pequeños.
- Cuenta y escucha historias y recuerdos graciosos.

Me siento bendecida de provenir de una familiar que se ríe. Rumbo a una cirugía a corazón abierto, mientras yo estaba junto a él y las enfermeras se lo llevaban en la camilla, mi papá no dejaba de hacer bromas. Yo estaba un poco ansiosa, ¿pero él? No. "¡Dios no me trajo aquí para llevarme ahora!", decía. Y, sorprendentemente, sonreía mientras lo trasladaban. Mis padres, primos, tías, tíos, todos se reían. Tal vez esa sea una de las razones por las que somos muy unidos. Cada verano nos reunimos para estar en familia. Nunca me he enterado de que alguien le haya dejado de hablar a otro, aunque estuvieran en desacuerdo. Además somos melosos. Por todos lados se oye "te amo" al igual que "hola" en mi familia. Hemos atravesado algunas circunstancias sumamente difíciles en nuestra vida, algunas han sido traumáticas, pero seguimos unidos. Nunca soy más feliz que cuando estoy con mi familia.

Una noche, mi tía Margaret y mi tío Bobby vinieron a casa y recordamos algunas historias divertidas. Mi padre contó una que ilustra el verdadero poder de la risa y su significado en la vida. Mi padre recordó que su padre —mi abuelo— se reía y sonreía en los últimos minutos de su vida. Poco antes de tomar su último aliento, miró a mi padre y dijo con una sonrisa: "¡Junior, que el pájaro grande no te agarre!".

Mi abuelo se refería a una historia transcurrida hacía más de dos décadas cuando mi padre tenía apenas nueve años. Era a comienzos de la década de 1960, mucho antes que los tiroteos en las escuelas hiciera que los padres fueran más recelosos en cuanto a exponer a los niños a las armas. Mi abuelo era un cazador y le dijo a mi padre: "Es hora de comprarte tu propia escopeta para que aprendas a cazar". Fueron a la tienda y compraron una escopeta, y un domingo en la mañana temprano prepararon sándwiches de mortadela para el almuerzo y se fueron a cazar al bosque con los perros.

"Nos fuimos alrededor de las 6:30 de la mañana y al atardecer ya estaba exhausto —recordaba mi padre—. Habíamos estado todo el día en el bosque. Creo que mi padre se estaba poniendo un poco impaciente conmigo también. En realidad, no me gustaba mucho la caza y me estaba cansando, así que mi padre decidió dejarme descansar mientras él cazaba a su última presa antes que oscureciera".

"Siéntate aquí —dijo el abuelo—. Vuelvo enseguida. ¡Grita si me necesitas!".

Mi papa se sentó en silencio debajo de un árbol y apoyó su escopeta nueva en el suelo a su lado. Él podía escuchar al abuelo y a los perros a la distancia. Pero otro sonido lo dejó pasmado. "Escuché un tenue pero profundo sonido inarticulado. Era casi como una vibración, pero nunca lo había escuchado antes, así que realmente no podía distinguir bien qué era. Sin embargo, estaba seguro de que se trataba del sonido de un animal. Y sonaba como que provenía de encima de mi cabeza".

En ese momento recordó algo que mi abuelo le había dicho un domingo cuando, al regresar de la iglesia, vio un águila que volaba junto a la carretera con sus alas tan extendidas como nunca había visto. Mi abuelo le dijo: "Hijo, el águila tiene unas garras tan grandes que podría tomar a un niño de 30 kg como tú ¡y llevárselo volando como nada!".

Esas palabras resonaban en sus oídos y pensó: *¿Y si ese sonido provenía de un águila?* En ese momento, el pequeño Johnny Burton miró hacia arriba y, muy cerca de él, vio un pájaro grande sentado sobre una rama con ojos grandes y redondos y una cabeza tan grande como la suya. El pájaro lo miraba directamente a los ojos. Y para su sobresalto y horror, ¡la cabeza del pájaro dio un giro de 360 grados! Johnny no quería que esa águila espantosa tuviera la oportunidad de agarrarlo, así que salió corriendo tan rápido como pudo y a los gritos.

"¡Papá, papa!", gritó mientras corría en medio del bosque, seguro de que el águila de cabeza grande lo seguía de cerca y preparaba sus garras para tomar al pequeño Johnny de la camisa.

Él no sabía exactamente dónde estaba su padre, pero su padre podía oírlo. Corrió desesperadamente. Los perros ladraban a la distancia. Y el abuelo vociferaba instrucciones a su pequeño hijo sin tener idea del peligro que corría. "¿Junior? —gritó el abuelo—. ¡Ya voy! Corre hacia el campo abierto. ¡Nos encontraremos allí!".

Johnny corrió y corrió, y después de lo que a él le pareció una eternidad, llegó al campo abierto. El abuelo, al ver que su hijo estaba bien, le preguntó:

—¿Qué te pasó, hijo?

Agitado y sin aliento, el pequeño Johnny le explicó el horror que había vivido.

—¡Un pájaro grande! ¡Un pájaro grande! —dijo frenéticamente—. ¡Un pájaro grande me estaba persiguiendo!".

El abuelo miró perplejo a su alrededor. No veía ningún pájaro.

—¿Por qué no le disparaste? —le preguntó perplejo. Luego notó que su hijo no tenía la escopeta.

—Hijo, ¿dónde está tu escopeta? —le preguntó.

Estupefacto, Johnny se miró las manos. Había dejado la escopeta en el suelo bajo el árbol. Para hacer el hecho todavía más cómico, era evidente que el pájaro no lo perseguía.

Se empezaron a reír a carcajadas allí en medio de aquel campo.

—Vamos a buscar tu escopeta. Y a ese pájaro grande —dijo el abuelo. Regresaron caminando hasta el árbol y, efectivamente, la escopeta estaba allí. El pájaro seguía sentado en la misma rama. No se había movido ni un centímetro. Y no era un águila. Era una lechuza.

En su lecho de muerte, en los últimos minutos de su vida, mi abuelo recordó esta historia. Le hizo sonreír. En los últimos momentos de su vida, se rio al rememorar un momento divertido que vivió con su hijo hacía dos décadas.

Esto me confirma el poder de todo lo que produce felicidad: las relaciones, jugar, reír, conversar y los buenos recuerdos.

¡Practica esta receta para la felicidad!

- Levanta las comisuras de tus labios hasta que tus mejillas se agranden y tus ojos se arruguen. ¡Estupendo!
- Cuando te sientes feliz, ¡deja que se refleje en tu rostro! Exprésate.
- Ríete… no un poco, ¡mucho!

TEMA DE CONVERSACIÓN

Domina tus expectativas

Cómo la "reina de la felicidad" perdió su alegría y la volvió a encontrar.

Preguntas para iniciar el diálogo

- ¿Qué expectativas te estresan?
- ¿Qué presiones te hacen sentir que no eres o haces suficiente?
- ¿Qué expectativas tratas de cumplir que no necesariamente son lo que Dios te ha pedido que hagas?

Con el verdadero entusiasmo que tenía por escribir un libro sobre la felicidad, no me di cuenta de cuán intimidante podía ser escribir sobre este tema. Después de todo, escribir un libro podría indicar que eres una experta en el tema. Y ser una experta en el tema de la felicidad podría indicar que lo tienes todo muy claro: la representante ejemplar de la mujer feliz. De acuerdo, algunas personas que me rodean dirían que es así. De hecho, recuerdo una entrevista en la CNN hace un par de años en la que la reportera de televisión, al presentarme, se refirió a mí como ¡"la reina de la felicidad"! Un título cautivante, pero ¡Dios mío, cuánta presión!

Después decidí escribir un libro sobre el tema, pero una ansiedad inesperada empezó a acumularse. Pensé: *¿Escribir este libro significará que nunca podré ser infeliz? ¿Me estoy comprometiendo a sonreír permanentemente cada vez que salga de mi casa? ¿Ya no podré permitirme tener un día malo?* Al sumergirme en este proyecto, estas eran las preguntas que me venían a la mente; no era una voz muy fuerte y atemorizante, sino suaves susurros que rondaban en mi consciencia y me recordaban amable pero persistentemente las veces que *no* fui feliz en mi vida y los momentos que me olvidé de ser agradecida, que fui pesimista o que perdí la paciencia con alguien después de una semana larga y agotadora. Me vinieron pensamientos como: *¿Puedes cumplir las expectativas de este libro? ¿Eres suficientemente sabia? ¿Eres suficientemente feliz? ¿Eres suficientemente experta?* Mientras resistía esos pensamientos, se volvían más fuertes y la escritura de este libro se volvía más difícil, hasta que a la mitad del proyecto, finalmente mi frustración me llevó a arrodillarme y orar.

Señor, escribir un libro sobre la felicidad no debería hacerme infeliz. ¿Qué me está pasando? ¿Estás tratando de enviarme un mensaje? Porque, generalmente, cuando estoy frustrada y bloqueada, significa que estás tratando de llamarme la atención. ¡Bueno, te presto atención! ¿Qué quieres para este libro? ¿Qué quieres que escriba? Necesito tu ayuda o probablemente no podré escribir. Y eso realmente me entristecerá, porque creo que este libro merece la pena. Pero nada de lo que yo escriba tendrá importancia a menos que sea lo que tú quieres que las mujeres sepan. Por eso te entrego mi preocupación y mi ansiedad. Si puedo escribir este libro, será porque tú me des fuerzas, valor y sabiduría. Soy toda oídos. Amén.

Casi inmediatamente, me sentí liberada. Y Él me habló. Esto es lo que sentí en mi espíritu:

Yo no puse toda esta presión sobre ti, Valorie: la presión de escribir todo perfecto, de hacer de esto un reto grande y complicado. Esa eres tú. Recuerda esto: ¡"Porque mi yugo es suave y mi carga es liviana"! Si tú no te sientes así, no es de mí. Yo solo quiero que escribas lo que tengas en el corazón. Escribe lo que has aprendido. Despierta conciencia sobre el cambio cultural que hace que cada vez sea más difícil que las mujeres sean felices a menos *que se lo propongan. ¡Y por favor, diviértete! Yo te he diseñado para escribir, así que sé feliz.*

Una de las lecciones más importantes sobre las mujeres y la felicidad es esta: las expectativas demasiado altas te roban la felicidad. Tratar de vivir a la altura de lo que todos piensan y desean que tú hagas es una receta para la perpetua ansiedad, duda y, generalmente, vida infeliz. De modo que, si tú también te estás preguntando si lo que eres o haces "es suficiente", permíteme responderte ahora mismo. ¡Sí! Eres suficiente para todo aquello que debes hacer en la vida. Como mujeres en la cultura de hoy, demasiadas veces nos ha sobrevenido la duda de si somos o hacemos suficiente en el trabajo, en el hogar, en la iglesia y con nuestros hijos. Las puertas que no se abrieron para nuestras madres y nuestras abuelas —por las que ellas trabajaron incansablemente para que se abrieran para nosotras— más adelante han conducido a muchísimas oportunidades e, inesperadamente, muchísima preocupación.

Ahora que ya hemos comenzado juntas esta travesía rumbo a una versión feliz de ti misma, quiero decirte algo: soy feliz, pero no afirmo ser una *experta*. En cambio, prefiero decir que soy una *aprendiz* de la felicidad. Este título es más apropiado, me deja respirar y me hace sonreír. Me he lanzado a la aventura de buscar respuestas y luego dar a conocer lo que descubra, incentivar conversaciones productivas, revelar los cambios culturales e inspirar a un cambio personal. Esa soy yo. Cuando hice un test para descubrir mis principales fortalezas, no fue ninguna sorpresa que entre mis cinco fortalezas principales estaba la "predisposición a aprender". Me intriga estudiar lo que nos hace feliz y lo que no. Me molesta saber que, durante las últimas cuatro décadas, las mujeres son cada vez menos felices mientras que los hombres, por alguna razón, son cada vez más felices. No es que no quiera que los hombres sean felices, pero estoy ansiosa por responder esta pregunta: ¿Qué pasa con nosotras?

De hecho, esta es la pregunta que me llevó a comenzar esta travesía. Empecé a preguntar a amigas, colegas, extranjeras en los aviones: "¿Por qué crees que las mujeres son menos felices a medida que envejecen y los hombres no?". "¿Tu vida es lo que pensaste que sería o de alguna manera estás decepcionada?". "¿Lo tienes todo?". "¿Has *tratado* de tenerlo todo?". "¿Cómo ha sido tu experiencia?". Y ni una vez una mujer me contestó: "No sé". ¡Todas tenían una opinión!

La mayoría expresó frustración. Muchas mencionaron no poder cumplir con las expectativas. Otras —muchas— dijeron sentirse culpables por no poder ser una mejor madre o esposa, por no dar siempre lo mejor en el trabajo, o porque, al tratar de hacerlo todo, han descubierto que es bastante difícil hacerlo todo realmente bien. "¿Cuándo haré lo suficiente?" —preguntaban—. Siempre hay algo que me falta hacer, algo que me falta lograr".

Parece que una de las claves es encontrar un equilibrio entre el optimismo y el realismo, vuela alto (si quieres) pero a la vez mantén los pies sobre la tierra, capaz de disfrutar de los simples pero profundos placeres de la vida. Permítete ser humana y apreciar las cosas cotidianas de la vida.

RECETA PARA LA FELICIDAD #3

Servicio

El individualismo atenta contra la felicidad. Debes responder al impulso de ayudar a los demás.

Decisión:

"Me propongo cada día hacer al menos una acción que le alegre el día a alguien".

Una de las lecciones espirituales más profundas de todos los tiempos se describe en Juan 13, cuando Jesús lava los pies de los discípulos antes de la última cena. Era la tarea de un siervo, algo que parecía indigna para Jesús. Incluso Pedro dijo: "¡No!... ¡Jamás me lavarás los pies!" (Jn. 13:8). Pero Jesús explicó que, a menos que le lavara los pies, Pedro no tendría parte con Él.

> "¿Entienden lo que he hecho con ustedes? Ustedes me llaman Maestro y Señor, y dicen bien, porque lo soy. Pues si yo, el Señor y el Maestro, les he lavado los pies, también ustedes deben lavarse los pies los unos a los otros. Les he puesto el ejemplo, para que hagan lo mismo que yo he hecho con ustedes" (Jn. 13:12-15).

Jesús resumió el concepto del servicio en Mateo 23:11, cuando dijo: "El más importante entre ustedes será siervo de los demás".

También podría decirse que las personas más felices son las que tienen un corazón de siervo. Cuando estás constantemente enfocada en lo que recibes, la ansiedad y la codicia amenazan con consumirte. Sin embargo, cuando estás enfocada en lo que puedes dar, no hay ansiedad que te consuma. Estar dispuesta a servir no produce ansiedad, sino paz y gozo. Cada día debes preguntarte: "¿A quién puedo bendecir hoy? ¿A quién debo servir hoy?". A veces esas bendiciones serán pequeñas, como dar una palabra de aliento a una compañera de trabajo que la necesita o recoger las cosas que tu esposo deja en el piso aunque desearías que no dejara sus zapatos y sus medias en medio de la sala cuando llega a la casa. Otras veces sentirás el llamado a servir y entregarte de una manera más substancial.

Elisabeth acababa de recibir una transferencia laboral de California a Michigan. Además de un departamento lleno de muebles para embalar, también necesitaba llevar sus dos automóviles a Michigan. Su hermano se ofreció voluntariamente a ayudarla a conducir hasta la región central de Estados Unidos, pero sería necesario enviar el otro automóvil por medio de una empresa de transportes. Era un auto que tenía desde que estaba en la universidad (y ya tenía algunos años cuando lo compró), así que en ese momento tenía diez años y más de 150.000 km. Pero dado que era un Volkswagen, sabía que le quedaba mucho tiempo de vida útil y no quería venderlo. Sería un buen auto para conducir en medio de toda la nieve de Michigan. Desde que lo compró solo le había tenido que hacer cambios de aceite, afinaciones y llantas nuevas. Valía la pena pagar para transportarlo hasta su nueva ciudad. Pero una mañana, mientras Elisabeth se cepillaba los dientes, se le cruzó por la mente un pensamiento fugaz: *Regálale el auto a Silvia.*

¿Qué? —pensó mientras se seguía cepillando vigorosamente los dientes.

Silvia era una muchacha de la iglesia que estaba criando sola a sus dos hijos, una niña y un varón. Lisa, una amiga de Elisabeth, le había comentado que Silvia no podía aceptar un mejor empleo porque le quedaba lejos y su automóvil no funcionaba bien. Tampoco tenía dinero para comprarse uno nuevo.

Elisabeth dejó de cepillarse los dientes y se quedó parada frente al espejo. Lágrimas empezaron a rodar por sus mejillas. Nunca había luchado por tener un medio de transporte seguro. Cuando era adolescente y estudiante universitaria, sus padres le habían dado un automóvil. Apenas terminó la universidad había conseguido un empleo como contadora. Hacía dos años que tenía dos autos; el que tenía desde la universidad ya lo había terminado de pagar hacía varios años. En ese momento se dio cuenta de cuán bendecida era y tuvo un fuerte impulso de bendecir a Silvia.

Elisabeth llamó a Lisa para preguntarle cómo contactar a Silvia. Era sábado. Llamó a Silvia y le preguntó si al día siguiente podían conversar después del servicio de la iglesia. Cuando la vio en persona, le dio la noticia de que quería bendecirla con un auto, sin ningún tipo de condiciones. Silvia se quedó boquiabierta y, después, empezó a llorar. "No tienes idea —dijo en un tono emotivo—. Estaba aquí orando y le pedí a Dios que me ayudara de alguna manera. Le dije que quería tener un mejor empleo, ¡pero que necesitaba un medio de transporte seguro! Y aquí, tres minutos después de orar, ¡tú me dices esto!". Silvia le dio las gracias efusivamente y compartió la buena noticia con sus hijos que la recibieron con gran alegría.

Elisabeth sintió que tocaba el cielo con las manos. Algo que ella no valoraba y que no necesitaba había bendecido en gran manera la vida de esta familia.

Hay diferentes maneras de bendecir la vida de otra persona. El sacrificio podría ser mínimo para ti, pero monumental para la otra persona. Tienes conocimientos que otros necesitan aprender. ¿Estás instruyendo a otros con tus conocimientos? Tienes pertenencias que no usas o que no extrañarías si te faltaran, pero que significarían muchísimo para alguien que carece de ellas. ¿Estás amontonando tus cosas o estás buscando la manera de bendecir a otros con ellas? Tienes una sonrisa que le alegraría el día a otra persona, pero por alguna razón caminas seria por la vida. ¿Por qué no te tomas las cosas con calma y le alegras el día a alguien? Nunca sabes qué están atravesando las personas que te rodean. Realiza un acto de bondad y levántale el ánimo a alguien.

Entre los buenos líderes, la característica más común no es "la capacidad para liderar" o "la valentía y el valor", sino "la capacidad de amar y ser amado". ¿Por qué? Sin duda, una de las razones es que, cuando las personas sienten que te preocupas por ellas, es más probable que confíen en ti y te sigan y hagan cualquier cosa para ayudarte a triunfar. La esencia del servicio es el amor. No puedes amar sin servir. No puedes servir sin amar. Ambas cosas están estrechamente ligadas; no solo una a la otra, sino a tu felicidad personal.

Creadas para servir

Hemos sido creadas para servir. La esencia de tu propósito en la vida es servir, pero el servicio no solo tiene que ver con tu propósito, sino con maneras simples de bendecir a otros a lo largo de cada día. Si quieres ser feliz, busca cada día la manera de alegrarle el día a alguien. Así de simple. Deja de pensar solo en ti y comienza a pensar en los demás.

¿Te has cansado alguna vez de pensar en los problemas que tratas de resolver? Es agotador pensar siempre en ti misma. *¿Recibiré un aumento de salario? ¿Podré adelgazar? ¿Cuándo me casaré? ¿Conseguiré esa promoción laboral? ¿Podré dejar de trabajar para quedarme en casa? ¿Cómo se ve mi cabello? ¿Qué dijo ella de mí?* ¿Notas la temática aquí? Pensar en "mí, mí, mí" es una receta segura para la infelicidad. Y una manera rápida de cambiar eso es empezar a pensar en los demás. ¿Conoces a alguien que en este momento te necesita? Alguien necesita tu sonrisa o tus palabras de aliento. Alguien daría cualquier cosa por vivir la vida que tú tienes en este momento. A alguien le gustaría escuchar cómo lograste tener el éxito que obtuviste, pero nunca lo escucharán a menos que le dediques tiempo y pongas energía en ello.

Se piensa que el mayor pesimismo es la depresión. Pensar solo en ti misma y en todo lo que está mal en tu vida es pesimismo. El individualismo que ha prevalecido en los últimos sesenta años atenta contra nuestro compromiso con los demás, observó el Dr. Martin Seligman en su investigación: "Las personas nacidas después de 1945 eran 10 veces más propensas a sufrir de depresión que aquellas nacidas cincuenta años antes".[1] Nunca olvidaré una Navidad de hace muchos, muchos años cuando tuve que festejar sola ese día. Yo tenía veinticinco años, era soltera y ningún miembro de la familia iba a estar en la ciudad para la Navidad. Empecé a sentir lástima de mí. "No tengo novio, mucho menos esposo. Nadie está pensando en mí. Creo que no haré nada y abriré mis regalos sola. Tal vez debería ir a comprar algunas cosas para mí y debería envolverlas para tener más regalos que abrir. ¿Qué patético? ¿Comprar mis propios regalos y envolverlos?". ¡Ay, qué patética fui! Me encanta lo que expresa Joyce Meyer: "Tú puedes ser patético o pujante, pero no puedes ser las dos cosas". Sin duda, esto aplicaba a mí.

1. Seligman, *Learned Optimism*.

Le estaba contando mi historia patética a una buena amiga unos días antes de Navidad y ella me dijo:

—¿Por qué no vienes con nosotros para repartir regalos y servir comidas de Navidad?

Ella y su novio habían decidido servir ese día festivo.

—Suena divertido —le dije—, siempre y cuando no les importe tener que cargar conmigo ese día.

De modo que, la mañana de Navidad, los tres llegamos a un antiguo teatro con algunos regalos y alimentos a cuestas. La entidad benéfica que organizaba el día nos entrenó e instruyó sobre cómo sería el día y qué necesitábamos hacer. Al par de horas, empezaron a llegar padres en los autobuses que los habían ido a recoger y los trajeron con sus hijos al teatro. Cada familia recibió una cena caliente de Navidad y comestibles para llevarse a casa y nosotros personalmente repartimos regalos entre los niños. Estaban auténticamente emocionados. Estaban agradecidos. Se sentían honrados. Me hicieron sentir vergüenza por la actitud de conmiseración que había tenido toda aquella temporada de Navidad. Y eso era exactamente lo que necesitaba: perspectiva. Ese día fue uno de los días de Navidad más felices de mi vida. En vez de recibir, di. El servicio me hizo feliz. Me hizo estar agradecida. Me recordó para qué estamos aquí: para servirnos unos a otros.

9 maneras de servir a alguien hoy

1. Pregúntate.

Estas tres preguntas te ayudarán a empezar el día feliz. Cuando te despiertes en la mañana, primero pregúntate: "¿A quién puedo bendecir hoy?"; segundo: "¿Qué expectativas tengo?"; y tercero: "¿Por qué estoy más agradecida?". ¡De esta manera, al despertarte, en los primeros cinco minutos de cada día, estarás usando la receta del servicio, la expectativa y la gratitud!

2. Sostenle la puerta a alguien.

El servicio es práctico. Es hacer algo en beneficio de otra persona. En un mundo donde a menudo nos enfrentamos a la descortesía y la desatención, realiza voluntariamente actos casuales de benevolencia, tales como sostener la puerta para que pase esa persona que ves con tu visión periférica. Tú sabes que vienen detrás de ti. ¡No hagas la vista gorda!

3. Perdona a otros.

"Solo por la gracia de Dios soy lo que soy". No todo tiene que ver contigo. Yo sé que eso que necesitas está demorando más de la cuenta, pero lo tendrás, aunque no sea en el tiempo que has previsto. ¿Qué tal si decides ser paciente y perdonar a la persona que se equivoca? Se requiere humildad para perdonar. Los siervos son humildes y perdonan a aquellos que demuestran ser humanos.

4. Dales a tus seres amados lo que ellos quieren, no lo que tú quieres.

Sin darnos cuenta, a menudo damos a otros el amor que queremos recibir de ellos. Pero dar lo que tú quisieras recibir hace que tu acto de amor tenga que ver contigo, no con ellos. Sí, puede que te guste recibir flores y regalos, pero tal vez tu esposo prefiera que dejes de hacer lo que estás haciendo y que pases la tarde junto a él en el sofá viendo un partido de fútbol. Eso lo haría feliz.

5. Ofrécete como voluntaria para ayudar.

La manera más simple de servir es buscar una necesidad y ayudar a suplirla. ¿Colaboras activamente con algún ministerio o alguna entidad caritativa que realiza una labor benéfica en tu comunidad o en el mundo?

6. Adopta una familia.

Si tienes los medios o la experiencia de ayudar a alguien que está luchando para llegar a fin de mes o que podría recibir alguna orientación que fortalezca a su familia, ¿por qué no te propones ayudarlo? Tal vez esa persona no tiene ningún ejemplo que la inspire a ser un buen padre o una buena madre. O quizás necesite ayuda para aprender a tomar mejores decisiones financieras. O quizás ves su potencial desaprovechado y podrías ser quien la inspire a superarse.

7. Sé mentora de alguna muchacha joven.

Ya sea a través de un programa formal como *Big Brothers Big Sisters* o de manera informal en tu iglesia, tu familia o tu vecindario, invierte en la vida de una niña o una joven y ayúdala a tener un buen fundamento para que su vida tenga sentido y sea feliz.

8. *Sonríe.*

Esto es fácil. Alegra la vida de aquellas personas que te rodean. Sé amigable. Sonríe. Es contagioso. Pronto producirás un efecto dominó. Es una manera bastante simple de servir a quienes te rodean.

9. *Escucha.*

Pocas personas tienen la oportunidad de sentir que realmente hay alguien que las escucha. Tú puedes ser quien las escucha. A veces, todo lo que una persona necesita es alguien que la escuche. Y te darás cuenta por su agradecimiento.

Cómo servir a tu familia

Es fácil pensar que el servicio es lo que hacemos "allí afuera" en el mundo donde hay tantas personas necesitadas, pero también es lo que hacemos para nuestras relaciones más cercanas. Si el amor y el servicio son intercambiables, ¿cómo eres tú en lo que respecta a servir a tu familia? ¿Eres generosa o te niegas a servir? ¿Qué le importa más a tu esposo? ¿Tus hijos? ¿Tus padres? El verdadero amor debe expresarse primero en el hogar.

Hazte estas preguntas como un autoexamen de conciencia:

- ¿Te enfocas más en servir o en que te sirvan? (sé sincera en tu respuesta).
- ¿Qué has hecho últimamente para ayudar a alguien necesitado?
- ¿De qué maneras puedes servir mejor a los demás?
- ¿De qué maneras te enfocas más en ti misma y no lo suficiente en los demás?
- ¿Qué te impide servir a los demás? ¿Qué vas a hacer al respecto?

¡Practica esta receta para la felicidad!

- Deja de enfocarte en ti misma hoy. Dedica tu energía a realizar un acto de servicio casual.
- Haz un inventario de tus pertenencias: ropa, computadoras, artículos del hogar, todo. De tu abundancia, ¿qué podrías dar para bendecir a alguien?

- Haz una lista de las personas que conoces, a quienes te gustaría bendecir; incluye en la lista a tu esposo y a los miembros de tu familia.

TEMA DE CONVERSACIÓN

¿Está bien no querer conquistar el mundo?

Lo que antes era la norma ahora es el estigma de ser profesionalmente poco ambiciosa.

Reflexión personal

- Las mujeres de generaciones anteriores tenían menos opciones, pero también se esperaba que cumplieran menos roles.
- La ambición puede aplicarse a otros aspectos de la vida además de la carrera.
- Entre las mujeres con estudios universitarios nacidas entre 1960 y 1980, el 43% no tenía hijos en 2011.

Preguntas para iniciar el diálogo

- ¿Es aceptable ser decididamente poco ambiciosa en tu vida profesional?
- ¿Qué esperaban otros de ti cuando terminaste la escuela secundaria o la universidad? ¿Coincidía con lo que tú querías para ti?
- ¿Por qué piensas que muchas mujeres profesionales de hoy están dejando de trabajar? ¿Qué sientes frente a ello?
- ¿Cuál es la razón de obtener una diplomatura o posgrado (o incluso una licenciatura) si no vas a tener una vida profesional?

"Cuando terminé la escuela secundaria, no tenía expectativas de conquistar el mundo", explicó Lina de sesenta años. Ella se graduó de la escuela secundaria, se casó dos años después y tuvo un bebé. En sus propias palabras, no podría haber sido más feliz... de veras. "Me encanta todo lo que tenga que ver con ser mamá y cuidar a una pequeña niña. Ella era como una muñeca de la vida real para mí —recuerda—.

Mi esposo estaba en los comienzos de su carrera y no ganaba mucho dinero, pero eso realmente no importaba. Teníamos todo lo que necesitábamos, además de buenos amigos y una hijita sana".

Dalia es un poco más joven, tiene más de cuarenta y cinco años y cuatro hijos. Ella se graduó de la universidad con un título en Ciencias Económicas, pero nunca tuvo el deseo de usar su título. "Fui a la universidad para recibir una educación, pero siempre quise ser esposa y madre —dijo ella—. E incluso ahora, todavía soy feliz así. No siento que me he perdido algo. Para mí, tenerlo todo es ser esposa y madre. Ser parte del mundo empresarial nunca fue una de mis aspiraciones".

La historia de Andrea es diferente a la de Lina y Dalia, pero con una temática similar. Con cuarenta años recién cumplidos y casada, sin hijos, es inteligente, intuitiva, feliz y decididamente poco ambiciosa. "Nunca fui ambiciosa. No me paso todo el tiempo pensando en mis metas", admite.

Ahora bien, sinceramente, la primera vez que ella dijo esto, me quedé perpleja. Sus palabras me dejaron pensativa. *¿No tiene metas? ¿No le molesta ser poco ambiciosa?* —pensé suspicazmente, y luego razoné—: *Tal vez no esté en sintonía con los deseos de su corazón.* Pero me quedé intrigada. Andrea estaba felizmente casada y amaba la vida. Trabajaba como voluntaria y participaba activamente de la vida de su sobrino y su sobrina y, a veces, los lleva a sus prácticas de basquetbol y de baile clásico. No estaba estresada y estaba feliz con su vida. No estaba tratando de forzarse por tener más ambiciones.

Cuanto más escuchaba a Andrea hablar en su estilo tan genuino, me daba cuenta de que simplemente ella era así. No toda mujer encuentra una profunda felicidad y contentamiento en los logros.

"No quiero conquistar el mundo —dijo ella—. Eso es todo".

Es una frase fuerte. Y en la cultura de hoy impulsada por el éxito, que lo define, en gran medida, por los logros profesionales y financieros, es casi políticamente incorrecto para una mujer decir: "¡Oye! Eso no es lo que yo quiero". Pero ¿qué pasa si, al igual que Andrea, tú no estás interesada en los logros? ¿Está bien querer menos y no más en tu vida profesional?

Es una decisión muy personal. Tienes que llegar a entender cuál es tu propósito y permitir que surja una visión para tu vida con base en ese propósito. Dios no nos diseñó a todas de la misma manera. Algunas mujeres son más ambiciosas que otras. Y algunas son ambiciosas, pero no es la ambición profesional de tener una empresa o un trabajo.

A menos expectativas, más felicidad

Ahora bien, tú sabes que quiero que alcances tu máximo potencial. De modo que nunca te diría que rebajes tus aspiraciones. De hecho, pienso que es decisivo no dejar de soñar. *Los sueños que Dios ha colocado en tu corazón son para ti.* Realmente no puedes dejar de hacer aquello para lo cual te diseñó el Creador. Pero no todos los sueños vienen de Dios. Algunos sueños son nuestras propias expectativas en la vida que nos suman presión y estrés totalmente innecesarios. Otros sueños son expectativas que otros tienen de nosotros que nos suman presión y estrés, y el temor a la desaprobación nos impulsa a tratar de cumplir esos sueños que ni siquiera son nuestros. ¿De qué maneras has hecho esto?

De las mujeres que he entrevistado, todas las que tenían expectativas o una definición de "tenerlo todo" menor a la definición generalmente aceptada dijeron ser felices. Las únicas excepciones fueron mujeres que se comparaban con otras; no solo con otras mujeres, sino incluso con sus propios maridos.

Frente a los preparativos del programa de una reunión de exalumnos universitarios en el cual se resaltarían los logros de cada pareja, Elena se sentía muy mal de no poder enumerar ningún logro profesional en el programa, ¡mientras que su esposo tuvo que reducir su lista de tal manera que cupiera en la página! "¿Qué he logrado durante todos estos años? —se preguntaba—. ¿De qué voy a hablar? Mis hijos son grandes y están casados. Ya tienen su propia vida. ¿Qué me queda?". Ahora bien, visto desde fuera, la conclusión de Elena podría parecer más bien severa. Había criado a tres hijos buenos, amorosos, productivos y con buenos fundamentos cristianos. Había apoyado a su esposo, mantenido unida a su familia extendida y había tenido una vida increíblemente bendecida. De hecho, era precisamente la vida que ella había esperado. Ella obtuvo lo que quiso. Pero tener que describir los últimos 25 años de su vida en términos de logros profesionales era poner el dedo en la llaga.

Hay un peligro en las "comparaciones". Pueden ser una receta para la infelicidad, y eso fue precisamente lo que le sucedió a Elena. Tú podrías ser perfectamente feliz con la decisión de no trabajar, o de trabajar pero no buscar un ascenso laboral o levantar una gran empresa; pero, si te empiezas a comparar con otras mujeres, que son más ambiciosas profesionalmente, empezarás a dudar de ti misma. Compararte con otras siempre te hará sentir menos feliz. La clave para una sana comparación es asegurarse de que sea equilibrada. Podrías observar los logros profesionales de aquellas mujeres que son sumamente ambiciosas, pero también asegúrate de observar los logros de aquellas que son *menos* ambiciosas. Finalmente, lo que es más importante, reconoce y celebra la bendición de tus propios logros.

RECETA PARA LA FELICIDAD #4

Sabias decisiones financieras

Aprende a no tomar decisiones financieras que saboteen tu felicidad y toma decisiones que te ayuden a ser feliz.

Decisión:

"Me propongo vivir con menos del 75% de mis ingresos".

"¡Más dinero, más problemas!". Eso es lo que lamentaba el ya desaparecido Biggie Smalls en su conocido rap de 1990, pero Biggie estaba equivocado. La realidad es que el dinero puede hacerte más feliz. Lo sé. No parece espiritual. Podría parecer materialista, pero no lo es, porque, si aprendes a gastar el dinero de manera correcta, *el dinero puede traerte felicidad personal.*

Esto explica por qué en la categoría de naciones más felices del mundo, la lista está encabezada por las naciones más ricas. Ninguno de los países más pobres se encuentra entre los países más felices. Las naciones donde las personas son pobres y los gobiernos opresivos tienen las personas menos felices del mundo. Cuando careces de tus necesidades básicas, no te preocupas por averiguar cómo es que las mujeres felices viven mejor. La felicidad no es una prioridad. La prioridad es la supervivencia.

En casi todos los estudios realizados en las naciones afluentes, las personas ricas afirman ser más felices que las personas pobres o con ingresos promedio. Pon atención, el dinero hace sensiblemente más felices a las personas, en especial si no ganan mucho y experimentan un aumento considerable en sus ingresos. Investigaciones revelan que el aumento de la felicidad basado en los ingresos es más marcado en aquellos que ganan demasiado poco. Si vives por debajo de la línea de pobreza y recibes un aumento que te catapulta a la clase media, ¡serás drásticamente más feliz! Con tu nuevo ingreso, puedes buscar un lugar seguro donde vivir. Puedes comprar alimentos más saludables, y en cantidades suficientes. Si vives por debajo de tus posibilidades económicas, puedes pagar tus cuentas. Y si puedes pagar tus cuentas, los recolectores de deudas no te acosarán. Sí, serás mucho, mucho más feliz.

Para las personas en los Estados Unidos con ingresos en el hogar por sobre los $75.000, el aumento de la felicidad basado solo en los ingresos no es tan drástico. Pero aun así existe. El dinero aumenta tus posibilidades. Cuando lo usas bien, te da la capacidad de ayudar a otros. Te permite tener experiencias que, de otro modo, no podrías tener: por ejemplo, un viaje para reunirte con tu familia durante las fiestas o boletos para conciertos para ver a tu artista favorito con el amor de tu vida.

"Quien no está contento con lo que tiene, no estará contento con lo que le gustaría tener".
SÓCRATES

La clave para generar felicidad no está en el dinero en sí, sino en cómo lo gastas. Hay algunos pasos simples que puedes dar a partir de hoy para usar tu dinero de tal manera de ser más feliz. En breve te daré a conocer diez de ellos, pero primero vamos a hablar de la otra cara de la moneda.

Hay pocas cosas más estresantes que no poder pagar las cuentas, vivir al día o discutir con tu esposo por dinero. Desde una perspectiva espiritual, el hecho de que las Escrituras declaren que "el amor al dinero es la raíz de toda clase de males" hace que muchos sean reticentes a sugerir que el dinero puede hacerte feliz. Por eso permíteme ser clara. El *amor al dinero* es la raíz de toda clase de males sociales horribles, desde la codicia y el delito al engaño y la ambición desmedida. Pero ¿el dinero en sí? El dinero, cuando lo usas bien, es una herramienta que te ayuda a hacer el bien y a vivir bien, y, si aprendes a hacer más dinero y eres una excelente administradora de tu dinero, serás más feliz. Si, en cambio, te endeudas y usas el dinero para acumular cosas materiales con el propósito de sentirte mejor, más feliz o más valiosa, fracasarás miserablemente y siempre te preguntarás por qué no eres una mujer más feliz.

Como mujeres experimentamos más altos y bajos emocionales que los hombres. Particularmente, los estados emocionales negativos pueden influenciar en el uso del dinero. Por eso, quiero hablar primero del consumo emocional, y luego te daré a conocer diez maneras específicas en que el dinero puede hacerte más feliz.

Consumo emocional = Agotamiento emocional

El consumo emocional es un síntoma así como una causa de infelicidad. El consumo emocional sucede cuando necesitas gastar dinero para, consciente o inconscientemente, llenar un vacío dejado por la tristeza, el dolor, el aburrimiento, el resentimiento, el enojo, la ansiedad o cualquier otra emoción negativa que intentas insensibilizar. Es similar a comer por ansiedad; pero, en vez de acumular kilos de más, acumulas deudas de tarjetas de crédito y vacías tu cuenta bancaria. Se convierte en un ciclo vicioso, porque, cuanto más consumes emocionalmente, más infeliz eres contigo misma por tu falta de autocontrol y tendencia a sabotear tu propia seguridad financiera.

Considera esta historia.

Hace algunos años estaba en el lujoso probador de una elegante tienda por departamentos esperando que saliera una amiga, a quien llamaré Gina. La situación era un poco desconcertante, porque justo había almorazado con ella y me dijo que la acaban de despedir. Luego, en seguida me sugirió que la acompañara a *Neiman Marcus,* porque quería comprarse ropa elegante para su próxima entrevista de trabajo. Salió del probador despampanante con su traje negro de Armani mientras la vendedora, pendiente de cómo le quedaba, mandó a llamar a un sastre para que se lo entallara perfectamente a su medida. Ella era el centro de atención.

—¿Estás segura de que quieres gastar tanto dinero en este momento? —le pregunté—. Ya tienes muchos trajes que te quedan fabulosos.

—Necesito algo nuevo —insistió—. Me encanta este traje. ¡Me hace sentir segura!

Así que Gina sacó la tarjeta de crédito y pagó ese día una cantidad exorbitante por un traje, más el 22,5% de interés. Gina no podía pagar su compra en efectivo y, además, tenía la carga de un préstamo estudiantil de casi seis cifras. No tenía ingresos estables. ¿Por qué se gastó tanto dinero? Gina estaba deprimida y se sentía sola en ese momento. Y gastar dinero en tiendas costosas, vestirse con ropa de las marcas más codiciadas y que la vieran conducir un automóvil lujoso alimentaba su anhelo de recibir atención y su necesidad de sentirse valiosa.

Todas tenemos diferentes maneras de lidiar con nuestras inseguridades, y demasiadas de nosotras hemos recurrido al consumo emocional.

Ahora bien, puede que tus compras no sean tan extremas como las de Gina, o, espera... ¡podrían ser peores! ¿No estás segura de si tienes este perfil? Fíjate si algunas de las siguientes declaraciones describen tu conducta:

- A veces compras cosas porque sientes que te las mereces, aunque no puedas pagar por ellas.
- Te compras ropa de marcas importantes porque quieres que otros vean que eres "exitosa".
- Sales de compras cuando te sientes triste, sola, aburrida, deprimida o frustrada.
- Te sientes "en las nubes" cuando sacas tu tarjeta de crédito para hacer una compra. En ese momento, sientes que tienes poder y el control de tu vida.
- Compras cosas para tus hijos para tapar la culpa de que el padre esté ausente o porque trabajas demasiado y no pasas suficiente tiempo con ellos.

Si te reconoces en alguna de estas declaraciones, escucha: el consumo emocional es una reacción, una conducta que puedes cambiar. En mi libro *What's Really Holding You Back?*, hablo de permitir que tus emociones te disciplinen en lugar de que te dominen. Eso es exactamente lo que quiero que hagas. A continuación te explico cómo:

1. Averigua cuánto debes. Si tienes el hábito de pagar con tarjetas de crédito y adquirir préstamos, suma cuánto debes en total. Es probable que la cantidad sea más alta de lo que piensas. Deja que te asuste. Necesitas una llamada de atención.
2. Habla con otra persona. No lo sigas manteniendo en secreto. Saca el problema a la luz y cuéntaselo a alguien de confianza. Pídele que te supervise y te disuada de seguir gastando desenfrenadamente.

3. Identifica las ocasiones en las que eres más susceptible. Piensa en la última vez que caíste en el consumo emocional. ¿Qué emoción desencadenó esa compra? ¿Qué pasó antes? Ten en claro eso para seguir con el próximo paso…
4. Haz un plan para responder en vez de reaccionar. Cuando empiezas a sentir una emoción negativa, haz una pausa y niégate a reaccionar e ir de compras para insensibilizar temporalmente esa emoción. En cambio, toma la decisión premeditada de responder y hacer algo más productivo.

Este es el momento de decidir cuál podría ser esa respuesta positiva. Haz una lista de cosas que edifican tu espíritu, te hacen feliz y aumentan auténticamente tu confianza. Por ejemplo, en vez de ir de compras, puedes ir al parque con tus hijos, visitar un museo o invitar a una amiga a mirar una película y charlar. *Vivir experiencias* con las personas que te rodean te hace mucho más feliz que comprar más cosas. Cuanto más feliz eres, menos experimentarás la clase de sentimientos que te llevan a consumir emocionalmente.

El dinero lo da todo

Recuerdo la primera vez que leí un versículo del libro de Eclesiastés, donde se sugiere que el dinero lo da todo. Al principio, me sorprendió, hasta que finalmente lo entendí.

> Una fiesta da alegría; un buen vino, felicidad; ¡y el dinero lo da todo! (Ec. 10:19 NTV).

Mi pastor me dijo que era reacio a citar ese versículo, porque podía conducir a malas interpretaciones; pero su conclusión era: el dinero puede resolver cualquier problema que tenga que ver con *cosas materiales*. No resolverá la mayoría de tus problemas relacionales (aunque tener más dinero podría aliviar cierto estrés en tu relación). No resolverá tus problemas de salud (aunque con dinero puedes comprar un seguro de salud o un mejor servicio médico). Pero, si necesitas comida, un techo o ropa o alguien que te brinde cualquier servicio que necesites —ya sea en el hogar o en el trabajo— el dinero te resolverá el problema.

Recuerdo una situación que casi acabó con mi empresa cuando

tenía veintitantos años. Esa semana resultó ser la peor semana de mi vida. Pasé horas tratando de encontrar una solución a ese problema. A la semana siguiente, mi madre casi se muere. De repente, el problema de mi empresa pasó a ser minúsculo. Mientras mi madre yacía en coma, le dije a una amiga: "Si el dinero puede resolver tus problemas, en realidad no tienes problemas". Se puede negociar o encontrar una salida a un problema de dinero, pero no se puede hacer mucho cuando alguien que amas yace sin vida en la cama de un hospital.

Cómo hacer que el dinero te haga más feliz

En mi libro *Las mujeres exitosas piensan diferente* expliqué tres maneras en que, según conclusiones de los investigadores, el dinero puede hacerte más feliz: si puedes pagar tus cuentas, si ganas más del ingreso promedio de tu región o si eres generosa con tus ingresos. Tu dinero y cómo decides usarlo puede tener una incidencia concluyente en tu felicidad.

Hace mucho que me apasiona el tema de las mujeres y el dinero. Demasiadas mujeres, incluso mujeres bien educadas, carecen de sabiduría a la hora de tomar decisiones financieras. En algunos casos, se debe a la falta de educación financiera en nuestro sistema escolar y universitario. Muy pocas escuelas enseñan a los estudiantes conceptos básicos sobre el dinero: cómo hacer el balance de una cuenta de cheques, qué es la tasa de interés o cómo ahorrar y planificar para el retiro. Pero, aunque las escuelas enseñaran estos conceptos básicos, no sería suficiente para hacerte más feliz. En lo que respecta al dinero y la felicidad, hay algunos hábitos que toda mujer debería adquirir. Algunos podrían parecer fáciles y otros, casi imposibles, según tu situación financiera. A medida que vayas leyendo, mantén tu mente abierta al hecho de poder adquirir todos estos hábitos, aunque te tome tiempo. Algunos podrían despertar emociones en ti o representar un reto frente a lo que has aprendido sobre el dinero en relación a las mujeres. No dejes que las emociones te detengan.

8 maneras en que el dinero puede hacerte feliz

1. Vive por debajo de tus posibilidades económicas.

Si alguna vez has estado en la condición de no poder pagar tus cuentas o cubrir tus necesidades básicas, sabes cuán estresante puede ser. Vivir por debajo de tus posibilidades económicas te hace más feliz. Además te da un sentido de control en tu vida, que te hace sentir segura sobre tu capacidad de administrar tus finanzas. Hay una profunda satisfacción en ello. Seguramente, habrás notado la declaración del comienzo de este capítulo: "Me propongo vivir con menos del 75% de mis ingresos". En mis charlas a grupos femeninos, algunas mujeres se quedaron boquiabiertas frente a esta propuesta, como si se tratara de un imposible. Puede que no estés en la condición de hacerlo hoy, pero proponte empezar a ampliar la brecha entre lo que ganas y lo que gastas, de tal manera que gastes cada vez menos de tus ingresos por mes. Tener un margen de dinero te hará sentir bien y te causará una sensación de relajación y seguridad. Este es el beneficio de vivir por debajo de tus posibilidades económicas. De modo que, si en este momento estás viviendo por sobre el 105% de tus ingresos, proponte vivir con el 95% este año. Si estás viviendo con el 95%, proponte vivir con el 85%. Cuando ganas más, la brecha se amplía y, al recortar tus gastos, la brecha se amplía más. En vez de planificar para el próximo auto que vas a comprar, ilusiónate al ver cuánto tiempo más podrás usar el auto que ya está pagado. Mi oración por ti es que puedas vivir con la mitad de tus ingresos, y que un día te puedas jubilar y tener independencia económica. Con las decisiones financieras correctas, decisiones que te hacen más feliz o más segura, es posible.

2. *Vive modestamente.*

Sentirte por debajo del promedio no hace a una mujer feliz. Aunque esto podría parecer orgullo, investigaciones revelan que el 76% de las personas, si se les diera la opción de elegir entre dos salarios y dos ciudades, preferirían ganar menos dinero siempre y cuando ganen el doble de los ingresos promedios de las personas de su ciudad. Esto quiere decir que ser sabia a la hora de tomar decisiones financieras no tiene que ver solo con vivir por debajo de tus posibilidades económicas, sino con vivir en un entorno que no te haga sentir que no estás a la altura de los demás. De modo que, aunque puedas, no te compres una casa en el vecindario más costoso. Sé modesta. Gasta *menos* de lo que podrías gastar. Te hará más feliz.

3. *¡Sé generosa!*

La manera de ser feliz no es recibir, sino dar. Como ya sabes, el servicio es una receta para la felicidad. Y también lo es ser generosa con tu dinero. Por eso, el principio del diezmo —dar el 10% o más de tus ingresos a Dios— es tan importante. Pero más allá de eso, ¿eres generosa? Las personas generosas son más felices. Estas personas no permiten que el temor las lleve a aferrarse fuertemente a su dinero y sus posesiones. En cambio, enfrentan la vida con una actitud generosa, dispuestas a compartir lo que tienen con otros. Y, dado que sus manos están abiertas para dar, a menudo reciben a cambio bendiciones mucho más valiosas.

Cada vez que recibas ingresos inesperados, comparte algo. Investigaciones muestran que los empleados que dan parte de sus bonificaciones para ayudar a alguien o hacen una donación a una entidad caritativa afirman ser más felices que aquellos que no lo hacen. ¿A quién podrías bendecir en este momento? Tal vez ese ingreso inesperado no fue solo para poder comprarte ese par de zapatos al que le habías echado el ojo. Tal vez también fue para poder bendecir a tu amiga con algo bonito. Tú sabes que ella tiene un presupuesto muy ajustado y no le sobran ni diez centavos a fin de mes.

4. Compra experiencias, no cosas.

Si tienes un presupuesto para gastos, echa un vistazo a las recetas para la felicidad de este libro e identifica una experiencia que quisieras vivir. Por ejemplo…

- Novedad. ¿Hay alguna experiencia nueva que quisieras vivir?
- Saborear. ¿Hay alguna comida que quisieras saborear en tu restaurante favorito con una persona con quien puedas tener una conversación enriquecedora?
- Diversión. ¿Llegó el momento de ir a la playa o a las montañas?
- Ambiente. ¿Puedes finalmente comprar esa obra de arte que te encantaría colgar en tu sala y mirar cada vez que pases por allí?

5. Negocia.

Como mujeres, tenemos la fama de no negociar, ya sea por el auto que deseamos o el empleo que nos acaban de ofrecer. De hecho, una de las razones raramente discutidas de la brecha persistente entre la remuneración de los hombres y las mujeres podría ser el hecho de que los hombres son muchos más propensos a negociar que las mujeres. En un estudio realizado por el Buró Nacional de Investigación Económica con casi 2.500 personas que buscaban empleo, se descubrió que, cuando el empleador no señala explícitamente que los salarios son negociables, los hombres son más propensos que las mujeres a negociar. Pero, cuando el empleador menciona explícitamente la posibilidad de negociar el salario, las mujeres son igual de propensas que los hombres a negociar y a veces un poco más. De modo que la brecha en la remuneración entre los hombres y las mujeres es significativamente más pronunciada en empleos donde la negociación del salario es ambigua.

¿Qué significa esto para ti? Significa que, si no negocias, estas dejando de percibir unos ingresos que podrías tener por la misma cantidad de trabajo que ya estás haciendo.

6. Sé agradecida.

Cuanto más tenemos, más fácil es ser desagradecidas. En el capítulo sobre la gratitud como receta para la felicidad, estudiaremos el concepto de la adaptación hedonista, que es nuestra tendencia a adaptarnos a circunstancias cada vez mejores, motivo por el cual cada vez necesitamos más para ser felices. Tú puedes contrarrestar la adaptación hedonista con la decisión deliberada de apreciar tus bendiciones, disfrutar lo que tienes y no dar por sentado nada de lo que tienes. La gratitud es la clave para limitar tus gastos y hacerte sentir rica sea cual sea la cantidad de dinero que tengas en tu cuenta bancaria.

7. Ahorra tiempo.

¿Tener más tiempo te hará feliz? Ya se trate de tiempo para las amistades y la familia o tiempo para descansar o hacer lo que más te gusta, tener más tiempo para lo que más te importa te hará sensiblemente más feliz. De modo que, si tienes un presupuesto para gastos, recuerda que gastar dinero en cosas que te ahorrarán tiempo es una sabia decisión. Algunos ejemplos incluyen contratar un servicio de limpieza, pagar a alguien para que corte el césped o incluso pagar un poco más por el lugar en donde vives si vas a ahorrar tiempo en el viaje hasta tu trabajo. Vamos a suponer que tienes 45 minutos de viaje de ida y de vuelta entre tu casa y el trabajo, pero si te mudaras más cerca del trabajo, podrías ahorrarte 30 minutos de viaje. Eso representa una hora menos de viaje por día, que son 5 horas menos por semana. El estadounidense promedio se toma tres semanas por año para sus vacaciones (¡pero yo recomiendo cuatro!). De modo que, si tienes que ir al trabajo 48 semanas por año, ¡son unas 240 horas extras por año que puedes aprovechar para ti! ¿Qué harás con 240 horas extras? ¡Son el equivalente a 30 días de 8 horas de vacaciones!

Si decides usar el tiempo para ir a dormir 30 minutos antes y despertarte 30 minutos más tarde, eso equivale a 30 noches completas de sueño más por año. Y parte del costo extra de mudarte a un lugar que sea levemente más costoso podría compensarse con el ahorro de combustible por vivir más cerca del trabajo. Cada vez que consideres si vale la pena ahorrar dinero en algo que no es tan conveniente, asegúrate de no sumar solo el costo financiero, sino también el costo de tiempo.

8. *Paga ahora, disfruta después.*

Somos bombardeadas constantemente con mensajes que afirman "disfruta ahora, paga después". Elizabeth Dunn, profesora de psicología de la Universidad de Columbia Británica, y Michael Norton, profesor de marketing de la Escuela de Negocios de Harvard, señalan esto en su libro *Happy Money*: "Postergar una compra permite a los consumidores cosechar el placer de la expectativa sin la desilusión de la realidad. Las vacaciones ofrecen los mayores momentos de felicidad antes que ocurran". ¿El remedio? Paga tus compras, ya sea un tratamiento de belleza o tus vacaciones, antes de vivir la experiencia. Gastar dinero activa áreas del cerebro que producen dolor. Por eso, cuando pagamos en efectivo, gastamos menos dinero que si pagamos con tarjeta de crédito. De modo que, cuando has planeado hacer algo divertido, paga por adelantado. De esa manera tu cerebro no tendrá que experimentar el "dolor del pago" cuando llegue el momento de disfrutar la experiencia. Además es más probable que puedas programar los gastos y ajustarte a un presupuesto cuando pagas por adelantado.

Mujeres que trabajan

Era el quinto día sucesivo de lluvia. Mi cabeza me daba vueltas en medio de una agenda de trabajo que requería cambios y adaptaciones constantes. Por lo general, un día estoy escribiendo, al día siguiente estoy en un avión rumbo a una conferencia, al siguiente estoy en una entrevista de televisión, dos reuniones con clientes y tengo que preparar un plan de marketing estratégico, todo en el mismo día. Y eso solo para mencionar cosas del trabajo.

Ese día en particular, dos niñitos adorables me saludaron del otro lado de las rejas del patio de juegos de la guardería infantil de mi edificio. Agitaban sus manos mientras me miraban con inocencia y ojos vivarachos. "¡Chao, chao! —dijeron— ¡Chao, chao!", sin importarles que yo estuviera entrando, no saliendo del edificio. "Hola" hubiera sido el saludo de un adulto, pero "chao, chao" era más gracioso. Les sonreí y los saludé con la mano también y les dije: "¡Chau, chau!". Los niños que estaban detrás de ellos se estaban deslizando en el tobogán y corrían contentos de un lado al otro del colorido patio. Otros se reían al aire, sin ningún motivo. Y una parte de mí quería entrar a ese patio de juegos, no para subirme al carrusel, sino para salir del mismo.

A pesar de lo mucho que me gusta lo que hago, hay momentos que no quiero hacer absolutamente nada. ¿Te ha pasado esto alguna vez? Dichosamente, también tengo algunos días en los que me quedo en casa, no hago nada o me tomo vacaciones. Después de años de trabajar por mi cuenta, he podido coordinar mi agenda de tal manera de tener descansos y flexibilidad.

En el año 2012, Forbes.com informó que el 84% de las mujeres que trabajan dijeron a *ForbesWoman* y a *The Bump* que "quedarse en casa para criar a sus hijos es un lujo económico que aspiran alcanzar". Muchas mujeres —especialmente las madres— están abiertas a la idea de salir del carrusel profesional. Esto se puede apreciar especialmente entre las mujeres nacidas entre 1960 y 1980. Muchas de sus madres tomaron una licencia por maternidad de algunas semanas y volvieron al trabajo, pero ellas son más propensas a dejar de trabajar al menos durante algunos años después de tener hijos. Tal vez sea porque han visto a sus madres "tenerlo todo" y decidieron optar por algo diferente. Según la encuesta de Forbes, aun las mujeres que no dejan de trabajar anhelan poder hacerlo.

- ¿Por qué piensas que muchas mujeres profesionales hoy día están dejando de trabajar? ¿Con qué sentimientos están luchando?
- ¿Cuál es la razón de obtener una diplomatura o posgrado (o incluso una licenciatura) si no vas a ir a trabajar?

- ¿Te has sentido alguna vez tan agobiada por las demandas del trabajo y la vida personal que la idea de una jubilación súper temprana te parece tentadora?
- ¿Qué tiene de mágico trabajar 40 horas por semana? ¿Podría nuestra sociedad (¡y tú!) ser productiva si la jornada completa de trabajo fuera de 25-30 horas por semana?

¿Por qué ahora no quieres lo que antes querías?

Una de las verdades más elocuentes sobre la felicidad es que somos muy malas pronosticadoras de lo que realmente nos hace felices. En realidad, creemos que si tuviéramos ese empleo o esa casa o esa relación seríamos felices. Pero, a menudo, una vez que lo obtenemos, nos enfrentamos a la realidad de lo que cuesta tener eso y mantenerlo. Quizás, al principio, lo disfrutaste muchísimo, pero ahora lo estás viviendo de cerca cada día. Y, en lo que respecta a la carrera, algunas mujeres descubren que la cantidad y la presión de trabajo —junto a las responsabilidades del hogar— es más de lo que ellas querían. Tú querías usar tus puntos fuertes y conseguir esa posición, pero no querías que te consumiera la vida. Querías una empresa, pero no pensaste que eso significaría tener que abandonar todos los aspectos de la vida personal. Querías ocupar la posición de jefa, pero no tenías idea de que tener a cargo el personal sería como arrear una manada de gatos. Por lo tanto, es posible que no sea que no quieres lo que tienes, sino que quizás tan solo no quieres demasiado de eso.

Por ejemplo, me encanta el pastel de frutillas. O mejor dicho, *me apasiona*. Pero, si me forzaran a comerme un pastel entero de frutillas todos los días, finalmente no solo voy a detestar su sabor; sino que voy a experimentar algunos otros resultados desagradables, la mayoría de ellos horribles para mi salud. Lo mismo sucede cuando tu agenda de actividades, que antes te gustaba, empieza a abrumarte. Lo que antes disfrutabas se convierte en una carga, no una actividad que tratas de practicar. Y el estrés de eso empieza a dejar secuelas en ti.

¿Por qué 40 horas?

¿Qué tiene de mágico trabajar 40 horas por semana? Si el trabajo te estresa, me gustaría proponerte que imagines por un instante una forma de trabajo más flexible y menos extenuante. Ahora bien, si amas tu carrera, tu empresa o tu empleo tal cual es, esto no es para ti. Pero, si a veces sueñas con tener más tiempo para ti, tu familia y los anhelos de tu corazón, presta atención por un momento. Gran parte de nuestra forma de vida está determinada por lo que nos han enseñado como la norma. Y la mayoría de las personas nunca cuestiona esa norma ni intenta forjarse un camino que sea diferente.

Pero ¿qué tal si decides forjarte un camino diseñado exclusivamente para la vida que Dios ha destinado para ti? ¿Cómo sería? ¿Trabajarías 40 horas por semana o 20 horas por semana? ¿O decidirías no trabajar en absoluto? ¿Trabajarías desde tu casa o en una oficina o detrás del volante de una camioneta de reparto? Y ¿qué ajustes, si fuera el caso, necesitarías hacer a tu estilo de vida para poder acomodarte a la situación de trabajo que deseas?

Al pensar en lo que realmente te haría feliz, no tengas miedo de salir del molde donde podrías haber estado durante toda tu carrera. La mayoría de la gente sigue lo que es normal y aceptable, y cree que no tienen otra opción, pero con planificación, creatividad y fe para creer que tu vida puede ser diferente, puedes crear una nueva manera de trabajar y vivir.

Primero, la planificación. Para la mayoría de las mujeres, los asuntos financieros son el mayor obstáculo para un horario de trabajo menos extenuante. Las tres cuestiones que más resaltan son:

- Cuánto ganas
- Cuánto necesitas para cubrir los gastos
- Cuánto tienes disponible en ahorros, inversiones o ingresos residuales

Vivimos en una cultura que nos alienta activamente a endeudarnos. Somos bombardeadas con mensajes que sugieren que necesitamos cosas más grandes y mejores de las que tenemos. Si aceptas esos mensajes, puedes quedar atada, incapaz de tomar nuevas y mejores decisiones con respecto a cómo quieres invertir el tiempo, porque tus obligaciones son tan gravosas que la única opción que tienes es seguir como estás. Esta no es la historia de todas las mujeres, pero es la historia de muchas. Si es tu historia y te sientes atrapada, te animo a empezar a imaginar la posibilidad de que tu vida sea diferente. Aquí hay algunas ideas que te ayudarán a empezar:

- Proponte crear un plan de trabajo que se ajuste a ti y a tus necesidades, aunque no sea igual al plan de trabajo de quienes te rodean. Puede que esto no suceda de la noche a la mañana, pero empieza por definir cuál es tu visión y ponte en marcha para que, finalmente, lo puedas lograr.
- En vez de llegar al agotamiento, trabaja de manera productiva y con moderación. Trabaja duro, pero toma descansos. Respira. Deja de excederte en tu trabajo.
- Decide a qué estás dispuesta a renunciar a fin de tener el tipo de plan de trabajo que te permita tener más respiro. Piensa radicalmente. ¿Estarías dispuesta a buscar una vivienda menos costosa? ¿A tener un solo auto? ¿A olvidarte de una promoción por el momento?
- Escucha en silencio la dirección de Dios para tu plan de trabajo. Luego haz los ajustes correspondientes.

Todo está sobre tus hombros

Una amiga, a quien llamaré Patricia, que es una madre de 48 años con tres hijos adultos, me llamó mientras regresaba a su casa del trabajo un jueves por la noche. Hace diez años que Patricia está divorciada y le gustaría volverse a casar algún día. Una agencia laboral la había llamado más temprano ese día para ofrecerle una oportunidad de empleo en Boise… a más de 3000 km de distancia. Ahora bien, estuve una vez en Boise. Es una ciudad realmente encantadora: aires nuevos, personas sin prejuicios, un bello panorama; pero está muy lejos de la familia de Patricia, de sus amigas y de todo lo que está tratando de hacer en este momento de su vida. Sin embargo, ella está cansada de su empleo actual, de modo que está considerando sus opciones. Y hablar de Boise la puso a prueba.

"¡Necesito un esposo! —dijo en broma—. Si estuviera casada, mudarme a otra ciudad lejos de aquí no estaría tan mal. Nos tendríamos uno al otro. O renunciaría a este empleo que me tiene enferma y cansada, y buscaría otra cosa para hacer aquí en la ciudad. ¡Pero no puedo! Todo está sobre mis hombros. *¡Solo quiero alguien que me cuide! ¿Está mal?*

Estas no son las palabras que esperaríamos escuchar de una mujer financieramente segura, ¿verdad? Pero las he escuchado muchísimas veces. ¿Recuerdas que el 84% de las mujeres que trabajan afirman que poder quedarse en casa es un lujo económico que aspiran lograr? Lo que es más importante aún, una de cada tres mujeres se resiente con su pareja por no ganar suficiente dinero para que su sueño se haga realidad.

Con el aumento de oportunidades para las mujeres en los últimos cuarenta años, hemos demostrado que podemos superarnos. No cabe duda de que podemos forjarnos nuestro propio camino, pero la pregunta es, ¿queremos eso?

Esto podría no parecer políticamente correcto, pero aun entre las mujeres más seguras financieramente, hay algunas que les gusta sentir que hay alguien que las cuida. Si tú no eres una de esas mujeres, está bien. Pero para la mayoría de nosotras, sentir que un hombre nos "cubre" es natural. Esa cobertura incluye protección física, seguridad financiera y apoyo emocional. Considera la descripción bíblica de las responsabilidades de un esposo, donde se indica claramente al hombre que debe amar a su mujer como a sí mismo. Ella debe sentirse completamente protegida y cubierta por su amor, aun hasta el punto de dar su vida por ella:

> Esposos, amen a sus esposas, así como Cristo amó a la iglesia y se entregó por ella... Así mismo el esposo debe amar a su esposa como a su propio cuerpo. El que ama a su esposa se ama a sí mismo, pues nadie ha odiado jamás a su propio cuerpo; al contrario, lo alimenta y lo cuida, así como Cristo hace con la iglesia (Ef. 5:25, 28-29).

Ese es un amor enorme. Es un amor que debe ser como el amor de Cristo. Si esa es la clase de amor que Dios ha diseñado para la mujer, ¿es extraño que una mujer anhele tanto que un hombre la cuide aunque pueda cuidarse ella sola?

En su revolucionario libro *Solo para mujeres*, la autora Shaunti Feldhahn analiza los sentimientos profundamente arraigados en los hombres con respecto al sostenimiento financiero del hogar. En una conferencia para mujeres habló de sus conclusiones y dijo: "Aunque ganes lo suficiente para sostener el nivel de vida de tu familia, no cambia en absoluto la carga mental que tu esposo tiene de ser el sostén financiero de la familia". En numerosas entrevistas con los hombres, ella admite quedarse perpleja por lo que sienten los hombres sobre este tema. "Independientemente de lo que la esposa sienta al respecto, y de lo que ella gane o no gane, el hombre siente que es su deber sostener financieramente a la familia". De hecho, en una encuesta científica, ella y otros investigadores descubrieron que el 78% de los hombres dijeron que seguían sintiendo la compulsión de sostener financieramente a la familia aunque solo con los ingresos de su esposa alcanzara para cubrir todas las necesidades del hogar. Este porcentaje fue uniforme entre los hombres, ya sea que fueran casados o solteros, religiosos o no religiosos, viejos o jóvenes. Y la compulsión fue aún más fuerte entre hombres de los grupos minoritarios.[1]

Si así han sido diseñados los hombres, tal vez no sea extraño que tantas mujeres sientan el deseo de que su esposo las sostenga aunque ellas puedan hacerlo por sí mismas. Y entonces, ¿es posible que, cuando sintamos la presión de sostenernos por nosotras mismas (por necesidad), esa presión produzca un nivel de estrés que sea diferente para nosotras que para los hombres? La mayoría de los hombres sienten el deber de sostener a la familia. Siempre se dice a los hermanos mayores que deben cuidar a sus hermanas pequeñas. Los buenos padres sienten la necesidad imperiosa de proteger a sus hijas, especialmente a las solteras. Los buenos hijos sienten la necesidad imperiosa de proteger a su madre divorciada, soltera o viuda. Es un instinto natural.

Con esto no estoy diciendo que todos los hombres lo hacen; sino que la mayoría de los hombres sienten la necesidad imperiosa de proteger a las mujeres más cercanas a ellos.

Como una mujer que toma sabias decisiones financieras, es bueno saber que, aunque tengas seguridad financiera, no eres la única que a veces desea contar con alguien que te ayude a llevar la carga. Si no cuentas con esa ayuda, no tomes eso como una justificación para sentir lástima de ti misma. En los últimos cincuenta años, se han abierto puertas financieras para las mujeres como resultado de las oportunidades en la educación y en el ámbito laboral. Toma decisiones premeditadas con respecto a tu dinero. La satisfacción de ser una buena administradora,

---

1. Shaunti Feldhahn, *For Women Only* (Colorado Springs, Multnomah Books, 2004). Publicado en español con el título *Solo para mujeres*, por Editorial Unilit.

el gozo de usar bien el dinero y la paz que viene de edificar una vida financiera estable son semillas que florecerán y redundarán en una vida más feliz.

¡Practica esta receta para la felicidad!

- Gasta menos de lo que puedes gastar, no el máximo. Procura que te quede un margen de dinero.
- La próxima vez que te compres un regalo o te recompenses con algo, decide comprar una experiencia en vez de un producto o algo material.
- Negocia. Nos sentimos bien cuando defendemos nuestros propios intereses, ya sea al comprar algo que queremos o al aceptar una nueva posición.
- Proponte incrementar el margen entre lo que ganas y lo que gastas, de modo que puedas vivir con el 75% de tus ingresos o incluso menos.
- Trata de bendecir a alguien que lo necesita. Sé generosa.

TEMA DE CONVERSACIÓN

Cuando una mujer gana más que su marido

¿Cómo influyen el dinero y la carrera en la felicidad matrimonial?

Reflexión personal

- Hoy día, las mujeres ganan más dinero que sus esposos en casi el 40% de los hogares estadounidenses.
- Estudios revelan que, cuando la mujer depende financieramente de su esposo, es más leal. Sin embargo, cuando el hombre depende financieramente de su esposa, es más probable que su esposa lo engañe.
- Hoy día una mujer de treinta años es tres veces más propensa a seguir soltera que en la década de 1970.

Preguntas para iniciar el diálogo

- Algunas parejas no tienen problemas con que la mujer gane más que el hombre. ¿Por qué crees que algunas parejas no tienen problemas en ese aspecto, y otras sí?
- Algunas mujeres dicen que los hombres se sienten "intimidados" por ellas. ¿Se sienten realmente intimidados o es otra cosa?
- ¿Qué harías si la cuestión de "quién gana más" empezara a afectar la felicidad en tu relación?

¿Cómo te sientes con el hecho de ganar más dinero que tu esposo o tu pareja? ¿Crees que los hombres se sienten intimidados por una mujer que gana más dinero o es solo una excusa que las mujeres usan para explicar problemas más profundos que están alejando a los hombres? Estas son preguntas que pocas mujeres tenían que responder en 1970, porque muy pocas mujeres ganaban más que los hombres en esa época.

Pero hoy día, las cosas han cambiado y provoca sentimientos sumamente reales y frustraciones que pueden afectar tu felicidad, ya sea que estés casada o que quieras casarte. Si eres una mujer que trabaja, hay una posibilidad de que ganes más que tu pareja (o futura pareja).

Hacía casi tres años que el esposo de Katy no tenía un trabajo de jornada completa, y ella estaba cansada de sus "esfuerzos" por conseguir un trabajo estable. Lo habían despedido de su posición de ingeniero y, después de más de un año de buscar trabajo, dejó de buscar uno en serio y se relajó. Aunque no habían acordado que Katy llevara toda la carga financiera de la familia, parecía que su esposo estaba contento con permitir que ella lo hiciera. "¿Por qué no?", parecía ser su actitud. Ella ganaba un buen salario y, con el bajo costo de vida en Indiana, su salario cubría las cuentas. Katy estaba descontenta con la pérdida de motivación de su esposo por trabajar, y estaba a punto de perder toda esperanza de que la situación cambiara. "En ese momento, me conformaba con que consiguiera un trabajo de jornada completa que le pagara el salario mínimo. Solo quería que *trabajara*".

Me sentí muy triste por Katy. Ella es sumamente trabajadora. Ama a su familia. Al parecer, hizo todas las cosas bien. Casada por casi veinte años, tenía dos hijos adolescentes y era ejecutiva de ventas en un campo dominado por los hombres donde había perseverado a pesar de recibir un trato injusto. En los comienzos de su carrera, la ignoraban y favorecían a hombres con menos experiencia; pero con tenacidad y fe, finalmente llegó al punto de su carrera donde se sentía bien remunerada y valorada por sus esfuerzos. La mayor parte de su vida matrimonial, ella y su esposo ganaban casi el mismo salario y compartían las responsabilidades financieras. Ella respetaba a su esposo y, a menudo, se jactaba de lo capaz y metódico que era para encontrar soluciones creativas a los problemas; características que ella atribuía a su profesión de ingeniero.

Un artículo publicado por *Atlantic* en octubre de 2012, y titulado "Esposas ricas, esposos pobres", plantea algunas cuestiones intrigantes. El artículo señala que hoy día en los Estados Unidos casi el 40% de las esposas gana más dinero que su esposo. El resultado parece ser una serie de problemas complicados, si no sorprendentes. Tal vez tú misma hayas experimentado algunos de estos problemas o los hayas observado entre tu círculo de amigas y compañeras de trabajo. Un estudio reciente reveló que, cuando la contribución financiera de la mujer excede al

60% de los ingresos del hogar, es bastante probable que el matrimonio termine en divorcio.[2]

Algunas de estas estadísticas, sin duda, están asociadas a todas las oportunidades que empezaron a tener las mujeres a principios de la década de 1970. Hoy día, por cada dos hombres que se gradúan de la universidad, lo hacen tres mujeres. Las mujeres son más propensas a obtener un título universitario y la mayoría de los gerentes hoy día —créelo o no— son mujeres. Mirando al futuro, la dinámica financiera de los matrimonios es probable que se incline cada vez más a que las mujeres ganen más que los hombres. Por primera vez en la historia, un número creciente de mujeres menores de treinta años está ganando más que sus homólogos masculinos. En la década de 1970, la producción industrial era un campo que permitía a millones de hombres recibir ingresos pertenecientes a la clase media para suplir las necesidades del hogar como único sostén financiero, pero ahora el declive de la producción industrial ha afectado enormemente el empleo de hombres sin títulos universitarios. Muchas de las carreras laborales con el mayor potencial de crecimiento hoy día son las carreras de predominio femenino tales como la enfermería y la asistencia médica.

¿Qué importancia tiene?

En teoría, no debería tener ninguna importancia, ¿verdad? Y para muchas mujeres, no la tiene. Tal vez seas una mujer que gane más que su esposo, y eso nunca ha originado ningún problema en la dinámica de la relación. *Espero que ese sea tu caso.* Pero las investigaciones y mi experiencia en consejería a cientos de mujeres han mostrado que, en muchas relaciones —o incluso para muchas mujeres que desean una relación—, el éxito financiero (o incluso el éxito financiero percibido) a veces puede representar un obstáculo agravante.

Los hombres se definen mucho más por su carrera que las mujeres. Así como las mujeres tienen una gran predisposición por las relaciones, los hombres han sido diseñados con la predisposición a ser el sostén financiero del hogar. De hecho, el desempleo prolongado (de un año o más) tiene un efecto más devastador en el hombre que en la mujer. Estudios revelan que al hombre le toma hasta cinco años recuperarse

2. Sandra Tsing Loh, "Rich Wives, Poor Husbands", *The Atlantic Monthly*, octubre de 2012.

por completo; más tiempo del que toma recuperarse de la muerte de un cónyuge. Eso es extraordinario. Si gran parte de su identidad está ligada a su capacidad de ser el sostén financiero, ¿qué provoca en la mayoría de los hombres no poder ser el sostén económico?

En el caso de Katy, las discusiones acaloradas por la búsqueda de empleo de su esposo —o la falta de búsqueda de empleo— mostraron un profundo resentimiento e inseguridad detrás de su conducta. Después de un año de muchos intentos fallidos de conseguir empleo, él terminó por desmoralizarse. Empezó a aceptar el fracaso y finalmente perdió toda la esperanza, aunque no se lo expresara a su esposa. En los años previos a su despido, ella ya había empezado a hacer progresos y a superarlo profesionalmente. Se habían comenzado a abrir puertas de oportunidades para Katy, que anteriormente habían estado cerradas. Mientras tanto, su esposo se sentía estancado e incapaz de pasar al siguiente nivel. Después de un tiempo, él dejó de esperar que lo ascendieran en su trabajo y se conformó con su suerte como gerente de nivel medio. Su complacencia, según Katy, podría haber contribuido a su despido. Cuando la compañía hizo una evaluación para determinar a quiénes conservaría y a quiénes despediría, consideraron las evaluaciones de desempeño de los últimos dos años, y su desempeño había sido promedio. Él se sintió acabado. Sus esfuerzos por sobresalir en el trabajo habían fracasado. No pudo conservar su empleo. Y tampoco podía conseguir otro. Mientras tanto, a su esposa la promovían y le iba muy bien en su carrera. Él había estado compitiendo con ella y sintió que había perdido. En consejería, él admitió que su decisión de dejar que su esposa llevara sola la carga financiera era para castigarla por su éxito. *¡Huy!*

La situación de Katy y su esposo refleja la dinámica de la vida real que puede sabotear la felicidad matrimonial. Desde luego que este no es el caso en todos los matrimonios, pero sucede. En el caso de Katy, ella tomó la decisión de perseverar en su matrimonio. Si bien ella no lo describe como un matrimonio totalmente feliz, se esmera por señalar las cualidades positivas de su esposo. Es un padre muy protector con su hijo de diecisiete años y su hija de quince años (aunque está preocupada por la enseñanza que les transmite la dinámica de su matrimonio a sus hijos). Es un cocinero sensacional. Y ha aceptado hacer terapia individual y de pareja a fin de recibir consejo para enfrentar los retos de su vida matrimonial.

En mis entrevistas con mujeres de todo el mundo, me he encontrado con una cantidad de ellas cuyo salario es superior al de su marido. Para algunas, no constituye un problema. Por ejemplo, Jennifer disfruta ir a trabajar cada día mientras su marido se queda en casa con los hijos. "Para nosotros funciona —dice ella—. Pero reconozco que tengo un esposo único. Él es muy seguro de sí mismo y se siente bien con su forma de ser. Hemos decidido que uno de nosotros se quede en casa mientras los niños son demasiado pequeños para ir a la escuela. Y yo estoy en una posición más estable profesionalmente y disfruto de mi trabajo, así que decidí seguir trabajando".

Sin embargo, la experiencia de Ángela, que ahora está jubilada, fue diferente. "Yo ganaba unos $54.000 por año en mi trabajo como gerente de marketing. Mi esposo era supervisor en una fábrica, un trabajo que paga unos $10.000 menos que el mío. Él hacía cualquier cantidad de horas extras para ganar más que yo. Siempre y cuando su salario anual fuera de $1.000 más que el mío, él se sentía bien. No podía soportar la idea de que yo ganara más". La historia de Ángela podría parecer extrema, pero señala otra dinámica que puede suceder: la competencia. Ángela no estaba compitiendo con su esposo. Sin embargo, su esposo se sentía forzado a competir con ella.

Raquel dijo que ella no ganaba más que su esposo, pero aun así tuvieron una fuerte discusión por la percepción de que ella ganaba más. "Creo que las personas piensan que tenemos este estilo de vida por tus ingresos —él se quejó un día—. Cuando vamos a fiestas, ellos siempre te preguntan por tu trabajo, pero raras veces se interesan por el mío". Raquel expresaba frustración por la crítica y los mensajes mezclados que recibía. En ese momento, se ofreció a dejar de trabajar para quedarse en casa. Pero su esposo insistió en que ella siguiera trabajando en aquello que amaba. "Pienso que él quería apoyarme, pero, independientemente de cuánto lo elogiara y me jactara de él con nuestras amistades y familiares, él parecía sentir que, de alguna manera, mis logros lo desmerecían", recuerda ella. Ya no están casados.

¿Puede cumplir él tus expectativas?

A veces no se trata de si un hombre puede ser el sostén financiero del hogar, sino de si puede ser el sostén financiero que imagina que su mujer espera. De modo que, si estás de novia, la pregunta es: "¿Cuál es su percepción de tus expectativas?". Si él percibe que no puede complacerte con su capacidad de ser el sostén financiero del hogar, puede que decida no serlo. Enfatizo la palabra "percepción", porque a menudo lo que un hombre percibe como tu expectativa, en realidad, podría no ser tu expectativa. Sin embargo, la percepción se convierte en la realidad. Si no te molesta que tu pareja gane menos, ¿percibe él que realmente no te molesta? ¿O percibe él que no puede cumplir con tus expectativas? Si no estás conforme, ¿le explicas claramente por qué?

Las opiniones de una mujer sobre este asunto pueden ser bastante personales. Puede que incluso te sientas mal por opinar así. Tal vez te hayas criado en un hogar donde el hombre debía ser el sostén financiero del hogar. Quizás hayas trabajado duro para superarte profesional y financieramente y siempre pensaste que tu pareja sería tu príncipe azul y sostén financiero. "Mi madre siempre trabajó —me explicaba una reciente graduada universitaria de veintidós años—. Pero ella podía usar 'su' dinero para lo que quisiera: ya sea para las vacaciones de la familia, ahorros o cosas adicionales que ella quería. A mí me enseñaron que el esposo era el responsable de sostener financieramente a la familia".

Ahora bien, eso podría parecer un cuento de hadas para muchas mujeres de hoy, pero, hace tan solo algunas décadas, esa clase de dinámica era más que la norma. Si creciste en un hogar con esa dinámica financiera, tus opiniones con respecto a los hombres y el dinero se verán afectadas. Cualquiera que haya sido tu experiencia en la niñez, esa experiencia única y personal determinará tu actitud y tus expectativas.

La buena noticia es que, como adulta, puedes decidir deliberadamente tu actitud y tus expectativas. Si necesitas corregir una actitud, solo tú puedes tomar esa decisión. Si buscas ser feliz mientras sorteas los obstáculos de una dinámica financiera, haz lo siguiente:

- Analiza tus sentimientos. ¿Qué punto de esta sección puso el dedo en la llaga en tu vida? Escribe tu opinión sobre el dinero y las relaciones, y luego pregúntate: "¿Me está ayudando mi opinión o me está lastimando? ¿Hay alguna actitud que me gustaría cambiar?".
- Si la dinámica financiera está causando problemas en tu relación, no hagas de cuenta que no pasa nada malo. Habla con tu pareja para buscar una solución.

- Si no estás en una relación, pero lo quieres estar, busca un hombre que celebre tus logros profesionales y financieros y que se sienta seguro de sus propios logros.

RECETA PARA LA FELICIDAD #5

Gratitud

El arte del agradecimiento te ayuda a trabajar más, dormir mejor y ponerte menos nerviosa.

Decisión:

"Esta noche, antes de dormirme, reflexionaré en las tres mejores cosas de hoy".

Tuve un amigo una vez que se quejó de que yo daba las gracias a otras personas demasiado a menudo. Me dijo: "En mi familia no lo hacemos cuando la otra persona solo está cumpliendo con su deber".

Me pareció extraño. "En mi familia —respondí— damos las gracias a otros cuando están cumpliendo con su deber, porque en algunas familias no todos hacen su parte. Estamos agradecidos cuando sí lo hacen, y en reconocimiento les decimos: 'Oye, gracias por llevarme al aeropuerto hoy... por sacar la basura esta mañana... por recordarme que es el cumpleaños de la tía Guillermina, ¡así no me olvido de llamarla!'". Esa amistad no duró mucho, pero mi inclinación por la gratitud me ha hecho bastante feliz en la vida. En ese momento no me daba cuenta, porque no sabía cuáles eran mis recetas para la felicidad, pero ahora sé que la gratitud es una de mis tres recetas principales.

Soy una persona agradecida por naturaleza. Me siento en mi patio y estoy agradecida por poder escuchar el canto de las aves cada mañana; su sonido es música a mis oídos. Me meto debajo de la ducha y mientras el agua caliente sale con total facilidad, estoy agradecida por haber nacido en la segunda mitad del siglo XX y no tener que preocuparme por ir a buscar agua para darme un baño frío en una tina de hierro después de que dos o tres otros miembros de la familia usaron la misma agua. ¡Puf! No sé si otras personas piensan en estas cosas, pero yo sí. Por ejemplo, soy perfectamente consciente de que, por el simple hecho de despertarme en los Estados Unidos, tengo una infinidad de bendiciones por las cuales estar agradecida, aun en esos días en mi vida en que todo parece ir al revés. En su mayor parte, me fluye fácilmente ser agradecida. Digo "en su mayor parte", porque la verdad es que soy humana y tengo mis momentos en que yo también necesito recordar las cosas buenas de la vida.

Aunque el reconocimiento por algo que hemos hecho nos hace sentir bien, la expresión de gratitud no es solo para beneficio del receptor, sino que beneficia mayormente al dador. Es una acción que produce una emoción positiva en el dador y que estimula sensiblemente su felicidad. Las Escrituras declaran una y otra vez que Dios ama la alabanza y nos exhortan a ser agradecidas, pero la verdad del asunto es que tomarnos tiempo para dar gracias a Dios por las cosas que Él nos da, *nos* levanta el estado de ánimo.

Cuando mi madre regresó a casa después de estar dos meses en el hospital tras una aneurisma cerebral masiva y una cirugía de cerebro, creo que fueron su actitud y sus expresiones de gratitud lo que le dieron fuerzas y energía para recuperarse. Mientras se sometía a fisioterapia, terapia del habla y terapia ocupacional, e intentaba recuperar su vista, su habla, su equilibrio y su capacidad de caminar y de tragar, siempre decía: "Al menos tengo la posibilidad de mejorar. Estoy agradecida por eso". Se enfocó en su recuperación con esa gratitud, determinada a aprovechar al máximo la oportunidad de mejorar. Y mejoró.

"Estamos realmente vivos cuando nuestro corazón
es consciente de nuestro tesoro".
THORNTON WILDER

¿Qué es la gratitud?

La gratitud es simplemente la expresión de agradecimiento por las bendiciones de la vida. La gratitud tiene que ver con otros. Es un acto de humildad, mediante el cual reconocemos que no seríamos quienes somos o no estaríamos donde estamos sin la generosidad y contribución de otros. Es también el reconocimiento de las cosas buenas de la vida, de la abundancia de la gracia y el amor de Dios. A lo largo de todas las Escrituras, Dios nos llama a ser agradecidas. "Den gracias al Señor, invoquen su nombre; den a conocer sus obras entre las naciones", declara el Salmo 105:1.

Por qué la gratitud neutraliza la negatividad

En los últimos cincuenta años, los sueldos en los Estados Unidos, Gran Bretaña y Japón se han duplicado. Sin embargo, la felicidad no ha aumentado significativamente. Una de las razones podría ser algo llamado adaptación hedonista. Cuando te acostumbras a tener más, ya no le das tanta importancia a lo que ganas, a menos que decidas ser agradecida. Cuando la mayoría de las familias de clase media compartían un solo auto, era obvio por qué debías estar agradecida si tu familia tenía dos. De hecho, en la década de 1960, la mayoría de los hogares tenía un garaje o una cochera abierta para un solo auto. Pero, si tienes un garaje para dos o tres autos, ¡la expectativa es tener dos o tres autos que ocupen el garaje! Esa es la norma. Por lo tanto, no se te ocurre pensar que haya personas en tu misma ciudad que no tengan un auto o que podrían necesitar un auto, pero que, por alguna razón, no pueden comprarse uno en este momento.

Prende la televisión. Mira los carteles luminosos. Abre tu revista favorita. Inicia tu navegador de Internet. Verás que eres bombardeada con imágenes de lo que "deberías tener" e insinuaciones de que todos ya lo tienen. El materialismo de nuestra era es venenoso para la actitud de agradecimiento. Tu antídoto es fijarte deliberadamente en las cosas buenas de tu vida.

El antídoto para la rutina hedonista

En *Las mujeres exitosas piensan diferente* hablé sobre un efecto llamado la "rutina hedonista". Se basa en el hecho de que generalmente somos malas pronosticadoras de lo que nos hará felices. Buscamos cosas que creemos que nos harán felices y, cuando las obtenemos, nos levantan el ánimo temporalmente, pero, al final, terminamos por acostumbrarnos. Tener aquello que pensamos que nos hará felices se convierte en nuestra nueva normalidad. Nos adaptamos a una mejora de las circunstancias y, luego, buscamos la próxima cosa que creemos que necesitamos para ser felices. Desde una casa nueva a otro esposo, si no aprendes a ser agradecida por lo que tienes cuando lo tienes, podrías aprender por las malas que algo nuevo no necesariamente te hará más feliz.

"Dar gracias por lo que tenemos podría contrarrestar directamente los efectos de la adaptación hedonista —el proceso por el cual el nivel de nuestra felicidad vuelve, una y otra vez, a su punto de partida— y hacer que las personas valoren más las cosas buenas de su vida", declara el investigador sobre la gratitud y profesor de la Universidad de California en Davis, el Dr. Robert Emmons, en su libro *Thanks! How the New Science of Gratitude Can Make You Happier*. "Si reparamos conscientemente en las bendiciones de nuestra vida, será más difícil darlas por hechas y adaptarnos a ellas".[1]

He aprendido que la gratitud me ayuda a no comprar cosas que no necesito. Un buen ejemplo: mi auto tiene once años. Podría comprarme uno nuevo, pero ¿por qué? Me gusta el que tengo, y funciona bien. El único gasto que me ocasiona es para afinaciones y cambios de aceite y, desde luego, el seguro. Me lleva a donde tengo que ir. El otro día tuve que llevar un sofá al departamento nuevo de mi hermano menor y, no solo entró entero, sino que, cuando cerré el baúl, sobraba medio centímetro de espacio. Admito que mi madre iba sentada un poco apretada en el asiento del acompañante, porque tuve que mover el asiento hacia adelante lo máximo que podía, pero nos reímos mucho en esa situación. Cuando compré el auto, nunca supuse que lo conservaría durante tanto tiempo, pero estoy contenta. Un día, cuando necesite o realmente quiera cambiarlo, me compraré otro; pero, por ahora, estoy contenta. Estoy agradecida por mi auto y tengo la plena confianza de que mi valor como persona no se basa en el año, la marca y el modelo del auto que conduzco.

Apreciar lo que tienes es una característica distintiva de la felicidad y, en particular, de la gratitud. "Las personas agradecidas son conscientes del materialismo —explica el Dr. Emmons—. El agradecimiento deliberado puede reducir la tendencia a despreciar lo que una persona tiene, lo cual hace menos probable que esa persona salga y reemplace lo que tiene con alternativas más nuevas, más relucientes, más rápidas

1. Robert A. Emmons, *Thanks! How the New Science of Gratitude Can Make You Happier* (Nueva York: Houghton Mifflin, 2007).

y mejores". ¿Aprecias lo que tienes? Si no, ¿puedes encontrar algunas razones para valorar lo que tienes y estar contenta hasta que las circunstancias te permitan tener algo diferente?

Alcanzas un cierto estado de tranquilidad cuando no estás siempre con el alma en vilo a la espera de que algo cambie en tu vida. Hay un gozo que viene cuando aceptas tus circunstancias actuales. Y creo que Dios está presente en ese gozo. Hay muchos pasajes de las Escrituras que hablan de la necesidad de ser agradecidas, los cuales no podemos ignorar. Mi preferido es 1 Tesalonicenses 5:16-18: "Estén siempre alegres, oren sin cesar, den gracias a Dios en toda situación, porque esta es su voluntad para ustedes en Cristo Jesús".

La voluntad de Dios es que seamos agradecidas. No solo se trata de que seas más feliz, sino de la voluntad de Dios para ti: que aprecies lo que tienes en vez de enfocarte en lo que no tienes. Darte cuenta de las cosas por las que puedes estar agradecida siempre te pondrá en la dirección espiritual correcta y siempre te levantará el estado de ánimo.

La gratitud es una buena medicina

¿Estás deprimida? ¿Tienes problemas de insomnio? ¿Te resfrías fácilmente? Te podría sorprender lo que afirman actualmente los investigadores en cuanto a un simple hábito que te ayuda a ser más feliz, estar más sana y dormir mejor: estar agradecida por lo que tienes. En estudios realizados por investigadores de la Universidad de California, se comparó a participantes que anotaron tres cosas por las que estaban agradecidos con otros participantes que no anotaron nada. Los participantes más agradecidos tenían un sistema inmune más fuerte, se resfriaban menos y tenían menos problemas para dormirse y descansar bien, y se sentían mejor con sus vidas. Incluso eran más propensos a hacer ejercicio. Curiosamente, no basta con nombrar simplemente las cosas por las que estás agradecida. Según los investigadores, debes anotarlas. Al parecer, hay poder en la palabra escrita.

Para comenzar con tu hábito de agradecimiento, mantén un cuaderno al lado de tu cama. Al despertarte, hazte una pregunta sencilla que suscite tu gratitud, tal como: "¿Cuáles son las tres cosas que espero con ansias hoy?" o "¿Cuáles son las tres cosas por las que estoy más agradecida hoy?". O escribe un diario personal de agradecimiento antes de ir a dormir; se ha demostrado que esta práctica mejora los hábitos del sueño. En vez de contar ovejas para curar el insomnio, trata de contar las bendiciones de tu vida. Pregúntate: "¿Cuáles son las tres mejores cosas que me pasaron hoy?" o "¿Qué cosas valoro más de hoy?".

Según los investigadores, hay otros beneficios de tener un diario personal de agradecimiento: te sentirás más atenta y ágil, y más dispuesta a sostener emocionalmente a otros. Así que, esta semana, toma un cuaderno o un diario personal y empieza a anotar esas cosas por las que estás agradecida.

¿Sabes cómo dar las gracias?

Además de expresar agradecimiento a Dios, es esencial que aprendas a dar las gracias a las personas que te rodean. No un agradecimiento impertinente y sin emoción, sino genuino y cálido. Aun un simple "gracias" puede ser poderoso cuando miras al receptor a los ojos, aprietas sus manos y le dices: "Gracias. Aprecio lo que hiciste por mí. Significó mucho para mí que tú...". Demasiado a menudo, en el mundo de hoy, no aprovechamos la oportunidad de expresar gratitud de una manera significativa de tal modo que la persona con quien estás hablando *sienta* tu gratitud.

He notado que puede requerir cierto grado de vulnerabilidad expresar una gratitud auténtica. Cuando le expresas agradecimiento a alguien, básicamente estás reconociendo que esa persona hizo algo bueno por ti. Cuanto más significativo sea el regalo —ya sea un regalo de tiempo, atención o bienes materiales—, más te impresionará y mayor será tu agradecimiento genuino.

¿Por qué nos cohibimos en ocasiones, y no expresamos exactamente cómo nos impresionó la generosidad de alguien? Es fácil decir simplemente "gracias" y, a menudo, eso es todo lo que se necesita. Pero hay diferentes grados de expresión, sinceridad y emociones que pueden significar gracias. Proponte ser agradecida. A veces, ir más allá de decir simplemente "gracias" y, en cambio, especificar de qué manera el gesto del dador fue significativo para ti y cómo te impresionó puede bendecir a la persona que recibe tu agradecimiento.

"Gracias por escuchar mi desahogo anoche. Necesitaba alguien con quien hablar y aprecio tu manera de escucharme sin tratar de resolver el problema o decirme que deje de sentir lo que estoy sintiendo".

"Gracias por cuidar a mis hijos la semana pasada. Sé que tuviste una

semana muy ajetreada, y realmente aprecio que hayas encontrado tiempo para ayudarme".

"Gracias por todo el esfuerzo que pusiste en ese proyecto. Realmente superaste mis expectativas y aprecio que hayas hecho el trabajo con excelencia".

Cuando expresas tu gratitud a una persona por algo significativo que hizo por ti, dale las gracias, pero dile también por qué estás agradecida.

Escribe una carta de agradecimiento

Una manera de causar una impresión especial y sincera en alguien y, además, poner por escrito cómo ha influido positivamente en tu vida es a través de una carta de agradecimiento. Es fácil. Piensa en alguien que te haya bendecido, a quien te gustaría expresarle un agradecimiento especial y escríbele una carta. En esa carta, responde estas preguntas:

- ¿Qué hizo esa persona por ti?
- ¿Por qué es importante para ti?
- ¿Por qué se sacrificó o qué esfuerzo hizo para bendecirte?
- ¿Por qué es importante que le expreses tu gratitud?
- ¿Qué quieres que esa persona sepa que tal vez tú no le hayas expresado antes?

El poder de una carta de agradecimiento no está simplemente en las palabras escritas, sino en la experiencia que puedes generar si le lees la carta en voz alta al receptor. Haz que sea un acontecimiento importante. Podría ser un maravilloso ritual para el Día de Acción de Gracias, un cumpleaños o para marcar el momento importante de cualquier celebración. Pero, desde luego, no lo pospongas hasta que encuentres un buen día festivo. Si sientes el impulso de escribir una carta de agradecimiento, hazlo hoy mismo. Después, hazle una "visita de agradecimiento" al receptor y léele la carta en voz alta.

Recibe el agradecimiento

Al final de mi primer curso de capacitación intensiva del Instituto de Coaching y Psicología Positiva en 2010, me conmovió el regalo que me hicieron las 42 estudiantes que asistieron: una caja de gratitud. Cada estudiante escribió a mano una nota de agradecimiento para expresar lo que había significado para su vida el curso de capacitación de ese fin de semana. Luego pusieron las notas de agradecimiento en una caja, la ataron con un moño y me la entregaron. Esperé hasta el día siguiente para abrirla. Estaba exhausta por esas 16 horas de capacitación que había dado en esos dos días, además quería disfrutar la experiencia y saborear bien cada nota, y eso requeriría energía. De modo que coloqué la caja sobre el escritorio de mi oficina. A la mañana siguiente fui a mi oficina, me senté al escritorio, abrí cada una de las notas con lentitud y las leí detenidamente. Las notas eran sinceras. Aquí hay extractos de algunas:

- "¡Esta experiencia fue increíble y refleja tu optimismo y denuedo!".
- "¿Qué puedo decir? Tu declaración de objetivos no son solo palabras escritas, sino que las vives… ¡las manifiestas! Gracias por el sacrificio de tu tiempo, tus oraciones y tu conocimiento".
- "Hoy me va muy bien en mi profesión, porque tu manera de perseguir tus sueños me ha inspirado a perseguir los míos. Muchas gracias por tu amor y tu belleza, por dentro y por fuera".
- "Te felicito por actuar siempre conforme a tu visión".
- "Gracias, gracias por ser obediente al llamado de Dios para tu vida".
- "¡Gracias por esta experiencia reveladora, de cambios, progresos y descubrimientos! ¡Con verdadero cariño!".
- "¡Mi vida ha sido totalmente transformada! Ahora sé qué rumbo seguir".
- "Eres una gran bendición. ¡Este curso de capacitación fue un sueño hecho realidad!".
- "¡Espero que nuestros caminos se crucen muchas veces más!".
- "Has sido el ejemplo que Dios me ha dado para convertirme en una consejera personal".

Las notas fueron sinceras. El regalo fue un ejemplo perfecto de cómo poner por obra las lecciones que les había dado ese fin de semana:

lecciones sobre gratitud, compromiso, comunicación y hermandad. No solo lo aprendieron, sino que lo estaban manifestando en sus expresiones de reconocimiento.

De repente me emocioné. Estaba conmovida porque algo que yo había ideado había generado tanta gratitud. Era la confirmación de que realmente los esfuerzos habían valido la pena. Hubo vidas transformadas y gratitud por mis esfuerzos.

Todavía tengo esa caja en mi oficina y, cuando tengo uno de esos días en los que me siento frustrada o me pregunto si mis esfuerzos valen la pena, puedo ir a mi caja de agradecimiento y recordar que la respuesta enfática es ¡Sí!

Cuando alguien te da las gracias, recíbelas. Nunca digas: "¡Ah, no, no tienes que darme las gracias!". Decir simplemente: "De nada" reconoce que, aunque no haya sido nada para ti, fue una bendición para el receptor.

En un viaje para una conferencia en Tampa, Florida, salí a caminar cerca del agua. Un andén de madera salía del hotel y atravesaba unos árboles hasta llegar a la bahía. Al final del andén había un mirador que se veía desde la habitación del hotel. Era el mediodía y no había nadie alrededor, así que me acosté sobre un banco del mirador a meditar sobre la gratitud. Me quedé recostada allí meditando sobre cada área clave de mi vida: relaciones, finanzas, trabajo, salud y vida espiritual. Pense: *¿Por qué cosas estoy agradecida en cada una de estas áreas?* Las consideré una a una, y llegué a un asombroso descubrimiento: mi vida estaba mejor que nunca en cada una de esas áreas. (Bueno, casi. Generalmente, no suelo pensar mucho en mi peso, pero ahora peso más que nunca: ¡engordé tres kilos, pero quiero tener un abdomen de acero!). Pero bromas aparte, mi vida está mejor que nunca.

No estoy diciendo que sea perfecta o que no tenga otras aspiraciones y metas que me gustarían alcanzar, pero mi vida está mejor de lo que jamás ha estado. He aprendido, he crecido y he progresado. Soy más feliz en mis relaciones. Me siento valorada y comprendida, amada y apreciada. Estoy mejor financieramente y no tengo la compulsión de consumir emocionalmente. (Este es un gran logro para mí. Algunas personas comen por ansiedad. Mi problema es el consumo emocional). Escucho que Dios me habla y siento que estoy en el centro de la voluntad de Dios para mi vida. Me encanta lo que hago y estoy entusiasmada por las puertas que se están abriendo.

Estaba recostada sobre el asiento de ese mirador y absorta. ¿Cómo es que mi vida estaba mejor que nunca y hasta ese momento no me había dado cuenta de ello?

La gratitud es esencial para sentirte mejor cuando las cosas en tu vida no van tan bien como esperabas, pero también es importante para darte cuenta de las bendiciones en tu vida cuando las cosas sí van bien. ¿Hay alguna área de tu vida que va mejor que nunca? O tal vez no mejor que nunca, ¡pero mejor que antes! Reconócelo y dale gracias a Dios. La gratitud te hará ver las bendiciones asombrosas de tu vida.

¡Practica esta receta para la felicidad!

- Antes de irte a dormir esta noche, anota tres bendiciones y tu reflexión sobre lo que significan para ti.
- Escribe una carta de agradecimiento a alguien que es una bendición para ti y menciona en vivos detalles lo que esa persona hizo por ti y por qué significa tanto para ti. Escoge un momento para hacerle una visita y leerle esa carta en voz alta.
- Cada mañana, pregúntate: "¿Por qué bendiciones estoy agradecida hoy?".
- Escribe una nota de agradecimiento a alguien que te haya hecho un bien o un regalo, o simplemente para darle las gracias por ser como es.
- En el trabajo, tómate un tiempo para expresar tu gratitud a una compañera de trabajo o un cliente y reconocer el trabajo que hacen. Por ejemplo: "Pase lo que pase, todos los días llegas con una sonrisa, y eso siempre me alienta y me inspira a tener una mejor actitud. Gracias".

TEMA DE CONVERSACIÓN

Facebook: ¿un mundo real o de fantasía? El problema de las comparaciones sociales ascendentes

Las redes sociales hacen que todos sean estrellas de su propia telerrealidad.

Reflexión personal

- La cultura de la telerrealidad y las redes sociales ha multiplicado exponencialmente la cantidad de personas con las que nos comparamos. Las comparaciones sociales ascendentes atentan contra nuestra felicidad.
- La telerrealidad no es la realidad, pero eso no significa que no nos dejemos seducir por la ilusión.
- Todas mostramos lo que queremos que se vea en las redes sociales y escondemos lo que no queremos que se vea.
- La gratitud puede ayudarnos a tener los pies sobre la tierra cuando nos sentimos tentadas a compararnos con los que están mejor.

Preguntas para iniciar el diálogo

- ¿Te has sentido peor alguna vez después de entrar a tu cuenta en las redes sociales? ¿Por qué?
- ¿Con qué porcentaje de amigos de tus redes sociales has hablado en los últimos seis meses?
- ¿Qué les ha enseñado la cultura de la telerrealidad a las mujeres con respecto a cómo deberían comportarse y mostrarse al mundo?

Una tarde, al volver del trabajo, Alexis entró a su cuenta de Facebook y revisó las últimas noticias de sus contactos. Una compañera de su antigua escuela secundaria había publicado un adorable video de su hijita de dos añitos que jugaba en el patio. Una compañera de trabajo del primer empleo que tuvo después de la universidad publicó una foto de ella y su esposo en una excursión con una leyenda que decía: "Tengo un marido admirable. Y hace quince años que tengo la suerte de ser su mujer. ¡Te amo, cariño!". Estaban celebrando su decimoquinto aniversario de bodas en una cabaña en las montañas. La hermana de su antigua compañera de cuarto, Mía, acababa de recibir una promoción e hizo público su entusiasmo con un anuncio que decía: "¡Hoy me dieron una promoción! ¡Y un aumento! ¡Me siento tan bendecida!". Bárbara, su compañera de trabajo de la sección de contaduría, una dulce mujer de unos sesenta años, publicó una foto de perfil nueva junto a su hijo en su graduación de la facultad de medicina. Se veía muy feliz con su toga y birrete. Todas eran buenas noticias. La vida de todos parecía espectacular y emocionante. Pero esa tarde, Alexis estaba desanimada. Allí, sentada frente a su computadora, se puso a llorar.

¿Qué pasa con mi vida?, pensaba. Sentada frente a su computadora con la idea de publicar algo interesante, se preguntó qué pasaría si publicara la verdad: "Sospecho que mi esposo me está engañando con una compañera de trabajo; mi hijo acaba de decirme que la universidad no es para él y que va a dejar los estudios, y mi jefe hizo una evaluación injusta sobre mi desempeño, ¡que va a sabotear mi esperanza de ser promovida el año que viene!". ¿Cuántas personas pondrán un "me gusta" en esa publicación?

Esa tarde, Alexis apagó su computadora. Se dio cuenta de que espiar constantemente la vida virtual de personas con las que nunca hablaba, algunas de las cuales no veía desde que se había graduado de la escuela secundaria o la universidad, no la distraía de sus problemas. En cambio, se sentía peor, porque todos parecían no tener problemas.

Uno de los cambios culturales más significativos de la última década es el alcance y la rapidez con que podemos comunicarnos y conectarnos con una red de personas cada vez mayor. Sin embargo, no tenemos contacto en la vida real con muchas de esas personas. Desde la década de 1950 hasta la década de 1990, la televisión nos dio un punto de comparación visual en 3D de cómo debería ser la vida con base en las series cómicas televisivas y los dramas que presentaban. Pero, hoy día, la vida real y la realidad chocan todos los días, no solo en la televisión, sino en tu computadora, tu *tablet* o tu teléfono. Puedes estar al tanto de lo que todos están haciendo —o supuestamente están haciendo— las 24 horas del día. Investigaciones han demostrado reiteradamente que la felicidad decrece cuando te comparas siempre con la vida de quienes piensas que están mejor que tú. Si, en cambio, te comparas también con personas que están peor que tú, puedes tener una perspectiva equilibrada y tu felicidad bajo control. Pero, a menudo, es más probable que te compares más con aquellos que envidias, que con los que todavía no han logrado lo que tú ya tienes.

¿La solución? Procura no exponerte a constantes comparaciones sociales ascendentes. Y, en segundo lugar, practica la gratitud como una manera de reconocer las bendiciones de tu propia vida en vez de obsesionarte con la vida de los demás.

Las redes sociales pueden ser una herramienta extraordinaria para reconectarte con antiguos amigos y estar en contacto con amigos actuales. Sin embargo, si las comparaciones sociales ascendentes empiezan a desvirtuar tu perspectiva, es momento de dar un paso atrás. No necesariamente significa que tengas que dejar las redes sociales por completo, sino quizás por un tiempo. Lo mismo se puede decir en cuanto a exponerte a programas de televisión que promueven actitudes y valores que provocan en ti estrés, ansiedad y desvalorización de tu propia vida y tus bendiciones.

¿Has caído en comparaciones sociales con personas que están mejor que tú después de mirar un programa de televisión o de pasar mucho tiempo en la Internet? Después de compararte, ¿te has reprochado por no hacer lo suficiente, no ser lo suficiente o no progresar lo suficiente en la vida? Observa deliberadamente cómo tu exposición a los medios de comunicación —ya sean tradicionales o por Internet— influyen en cómo te sientes con tu vida. Y cuando sientas que te afectan de forma negativa, da un paso atrás, respira hondo y toma consciencia de la realidad de tu vida y de todas las bendiciones por las que puedes estar agradecida.

RECETA PARA LA FELICIDAD #6

Vínculos sociales

¿Por qué estás más ansiosa y tienes menos contacto con otros y menos amigas cercanas que las mujeres de generaciones anteriores?

Decisión:

"Me propongo hablar más con mis familiares y amigas en vez de comunicarme a través del correo electrónico y mensajes de texto".

Miguel, el esposo de Juana, llegó del trabajo temprano una tarde sumamente entusiasmado. Había recibido una promoción laboral que esperaba hacía más de un año. Entró a la cocina radiante de felicidad y anunció la buena noticia.

—¡No vas a creerlo! —exclamó con una sonrisa en su rostro.

—¿Qué? —dijo Juana con una sonrisa y un gesto de expectativa y curiosidad en sus ojos.

—¡Me dieron la promoción! ¡Finalmente me dieron la promoción!

—¡Dios mío! ¡Increíble! —respondió Juana, y se colgó del cuello de su esposo para darle un buen beso de felicitación—. Estoy muy orgullosa de ti.

—Espera, espera —susurró con entusiasmo—. Eso no es todo.

Juana escuchaba con atención, sonreía cordialmente y esperaba con ansias que lo que él le dijera fuera lo que ella quería escuchar.

—¿Hay más? ¿Qué es? —indagó.

—¡¡¡Además me dieron un aumento de $ 12.000!!! —anunció él.

Ahí, Juana fingió que se desmayaba. Miguel se rio.

—¡Pensé que solo te darían un aumento de cinco o seis mil dólares! —dijo ella.

—Eres un buen negociador, cariño. ¿Cómo fue que te dieron el doble de aumento?

—Bueno, mencioné gentilmente que me estaban pagando menos del sueldo requerido para mi última posición y les ofrecí algunas otras justificaciones basadas en mi experiencia. ¡Y aceptaron!

—¡Vaya! —reflexionó Juana—. ¡Fantástico! Y, ¿cómo te sientes?

—¡Increíble! —admitió Miguel—. Siento que mi trabajo y esfuerzo valieron la pena, aunque la promoción haya tardado más de lo que esperaba. Aprendí una lección de perseverancia y Dios me recompensó por la mala retribución del año pasado con este aumento que es más de lo que esperaba.

—Pues bien —dijo ella—, ¡esto merece una celebración especial! ¿Qué quieres hacer para festejar este importante acontecimiento? ¡Tal vez podamos organizar una fiesta de promoción o algo por el estilo!

—Mmm… no había pensado en eso —dijo mientras pensaba en la idea de invitar a algunos amigos y familiares. ¡Hagamos una parrillada al aire libre!

—De acuerdo —dijo Juana—. Haz una lista de todas las personas que quieres invitar y yo me encargaré del resto.

Miguel tenía una sonrisa de oreja a oreja mientras pensaba en la idea de invitar a sus amigos preferidos y a sus padres a la fiesta. Su papá se sentiría muy orgulloso de él.

—¿Sabes qué? —le dijo a Juana—. Tengo que llamar a mi papá y a algunos otros para contarles la buena noticia. Así que yo mismo los voy a invitar cuando los llame.

Después de decir eso, salió de la cocina eufórico, más entusiasmado por la promoción que cuando entró a la cocina.

La conversación de Juana y Miguel fue una danza sincronizada que produjo un espiral ascendente de emociones positivas. Miguel inició la conversación con una buena noticia y Juana respondió receptivamente y con el mismo nivel de entusiasmo que su esposo, lo cual le daba lugar y libertad a él para sentirse aún más entusiasmado. Su manera de responder es lo que la investigadora Shelly Gable llama "respuesta activa constructiva", una manera de comunicarse con alguien sobre una buena noticia que fortalece el vínculo afectivo. Los expertos en relaciones a menudo hablan de la importancia de escuchar activamente como una habilidad relacional. Pero la respuesta activa constructiva puede ser aún más eficaz, porque consta de escuchar atentamente al otro, felicitarlo de todo corazón, mostrar un entusiasmo genuino y hacerle preguntas que le muestren un interés sincero y le ayuden a saborear la buena noticia. Esta respuesta fortalece la relación porque desarrolla un vínculo.

Según la Dra. Gable hay cuatro maneras de responder a una buena noticia, pero la respuesta activa constructiva es la única que desarrolla un vínculo. De hecho, si respondes de cualquiera de las otras maneras, realmente estás socavando el vínculo. Las cuatro respuestas se describen en el siguiente cuadro:

	Activa	Pasiva
Constructiva	"¡Qué buena noticia! ¡Sé lo que significa esa promoción para ti! Deberíamos salir a celebrarlo y de paso me cuentas qué te entusiasma más de tu nuevo trabajo". Comunicación no verbal: mantiene un contacto visual y manifiesta emociones positivas tales como una sonrisa, contacto físico y entusiasmo genuinos.	"Qué bien, me alegro por ti". Comunicación no verbal: poca o nada de expresión emocional y entusiasmo.
Destructiva	"Me parece que es demasiada responsabilidad para ti. Vas a tener más estrés en esa nueva posición, y prepárate para trabajar más horas en la oficina". Comunicación no verbal: manifiesta emociones negativas tales como una actitud despectiva y descreída.	"¿Sí?... Por cierto, ¿qué hacemos el viernes por la noche?". Comunicación no verbal: poco o nada de contacto visual, no presta atención y cambia de tema.

"¿Podría haber para nosotros milagro mayor que ver a través de los ojos del otro por un instante?".
HENRY DAVID THOREAU

¿Qué es un vínculo?

Un vínculo puede resumirse de manera simple: amor. Son esos momentos en los que llegas al corazón del otro, ya sea la cajera del supermercado o la compañera de trabajo del escritorio de al lado o tu esposo en medio de una discusión banal. El amor establece un vínculo. Cada momento con otros es una oportunidad para tener un intercambio momentáneo de amor. No estoy hablando de amor en el sentido romántico o incluso de la manera en que podrías amar a un padre o a un hijo o a tu mejor amiga. Estoy hablando de amor en el sentido que se describe en 1 Corintios 13. Esta clase de amor es la expresión de los siguientes atributos:

- Paciencia
- Bondad
- Humildad
- Servicio
- Veracidad
- Perdón
- Protección
- Confianza
- Esperanza
- Perseverancia

Cuando se expresa y se recibe cada uno de estos atributos, se establece un vínculo. Pero ese vínculo también depende de que la otra persona reciba tu expresión de amor. Si la otra persona decide no recibirla, hubo amor, pero no un vínculo. La otra persona debe estar abierta a recibir tu expresión de amor a través de uno de los diez atributos del amor que se describen en 1 Corintios 13:4-7:

> El amor es paciente, es bondadoso. El amor no es envidioso ni jactancioso ni orgulloso. No se comporta con rudeza, no es egoísta, no se enoja fácilmente, no guarda rencor. El amor no se deleita en la maldad sino que se regocija con la verdad. Todo lo disculpa, todo lo cree, todo lo espera, todo lo soporta.

El verdadero vínculo te estimula. Bendice tu alma y genera una sincronización entre tú y la otra persona o personas que participan de la interacción.

Chris Peterson, experto en psicología positiva, resume el poder de las relaciones y su influencia en la felicidad de una manera simple: "Los demás son importantes". Y realmente es cierto. Sí, podrías querer estar sola un rato cuando has estado rodeada de muchas personas durante un tiempo prolongado. Pero, tarde o temprano, necesitarás estar con otros. Hemos sido diseñadas para estar en contacto con otros. Sin embargo, en el mundo de hoy, la capacidad de desarrollar verdaderos vínculos es cada vez más difícil.

¿Por qué cada vez es más difícil desarrollar vínculos auténticos?

Hay varias razones por las que cada vez es más difícil desarrollar vínculos en nuestra cultura actual. Es importante saberlas para que puedas contrarrestarlas en tu propia vida. Si no lo haces, eso repercutirá sobre tu felicidad. He aquí siete factores que hacen que cada vez sea más difícil desarrollar vínculos:

1. Las mujeres se trasladan más que antes.

Hace cuarenta o cincuenta años era más probable que las mujeres vivieran en la misma ciudad donde habían crecido o cerca de allí. Hoy es más probable que vivan en cualquier otra parte. Somos una sociedad que se traslada a menudo de un lugar a otro, lo cual significa que tenemos que relacionarnos con personas nuevas y lugares nuevos; algo que es más difícil cuando tienes más de treinta años y la mayoría de tus homólogas son solteras y libres.

2. Muchas mujeres viven más solas que nunca.

Si vives sola, no eres la única. Aproximadamente 32 millones de estadounidenses viven solos, y 17 millones de ellos son mujeres. En 1950 solo cuatro millones de estadounidenses vivían solos. En ciudades como Denver, Seattle y Cleveland, el 40% de los hogares están conformados por una sola persona. En la ciudad de Nueva York, casi la mitad de los hogares siguen ese patrón. Muchos de los que viven solos prefieren vivir así, pero están aislados. En un artículo en cbsnews.com, el sociólogo Eric Kinenberg señaló: "Argumentaría que el aumento de personas que viven solas representa el mayor cambio social de los últimos 60 años que aún no hemos identificado".[1]

3. *Tenemos garajes.*

Hasta principios de la década de 1970, la mayoría de casas no tenían garaje. Parece irrelevante al tema del vínculo social, pero no lo es. Si hoy vives en una casa que tiene un garaje, nunca tendrás que hablar con tus vecinos. Puedes llegar y entrar tu auto, cerrar la puerta del garaje y entrar a tu casa. Esta simple invención eliminó la simple comunicación que ocurría entre vecinos cuando llegaban y salían de la casa.

4. *La tecnología ha reducido la comunicación personal.*

Gran parte de la comunicación de hoy, aun con las personas más cercanas, no es en persona, ni siquiera por teléfono, sino vía correo electrónico o mensaje de texto. Y, como probablemente te haya pasado, en la interpretación se pueden perder los matices de la comunicación. Hay una gran diferencia entre experimentar el lenguaje corporal, las expresiones faciales y la voz de alguien y leer un mensaje de texto o correo electrónico. Puedes desarrollar un vínculo en diferentes niveles cuando te comunicas en persona o al menos por teléfono. Para empezar, la comunicación es instantánea y, a veces, incluso superpuesta en vez de hablar y luego esperar la respuesta.

5. *Expresamos menos.*

"Bien". "No". "Sí". "Ok". Estas son las respuestas típicas que recibo cuando le mando un mensaje de texto a mi hermano universitario. Mientras los mensajes por Twitter limitan los mensajes a 140 caracteres o menos, los mensajes de texto a menudo son aún más cortos.

6. *Tenemos menos sistemas de apoyo.*

Tenemos menos amigos, nuestras familias son más pequeñas y, hoy más que nunca, es menos probable que vivamos cerca de las personas que forman parte de nuestra red de apoyo.

---

1. "Living Alone? You're Not Alone", CBSNews, 20 de mayo, 2012, http://www.cbsnews.com/8301-3445_162-57437837/live-alone-youre-not-alone/.

7. Tenemos miedo de mostrarnos vulnerables.

Un verdadero vínculo requiere la clase de sinceridad y autenticidad que permita a la otra persona vernos como seres humanos con sentimientos. Ya sea que sientas alegría o tristeza, permitir que otro vea tu corazón hace que esa persona también te abra su corazón y se desarrolle un vínculo, aunque sea por un momento. Esconder tus emociones no colabora al desarrollo del vínculo.

En su libro, *Alone Together: Why We Expect More from Technology and Less from Each Other*, Sherry Turkle aborda la influencia de la tecnología moderna y cómo ha confundido nuestra percepción del vínculo social auténtico. "Nuestra vida conectada a la red nos permite escondernos unos de otros —indica ella—, aunque estemos constantemente en contacto. Preferimos los mensajes de texto que hablar". Eso es realmente cierto. ¿Cuántas veces has estado en una fila o sentada en la oficina de un médico o caminando por la calle y ves que hay más personas mirando su teléfono celular que prestando atención a las personas y las cosas que pasan a su alrededor? Algunas ciudades, como Filadelfia y varias ciudades universitarias, han aprobado leyes que hacen ilegal caminar y enviar mensajes de texto. Al parecer, nos hemos vuelto tan obsesivas con estar en contacto para saber lo que está sucediendo "en otro lado", que nos tienen que obligar a prestar atención a lo que sucede justo en frente de nosotras para que no nos atropellen cuando cruzamos la calle.

Hoy día, por primera vez en la historia, hay más adultos solteros que casados. Y, según un estudio realizado por la Universidad de Duke en 2006, los estadounidenses tienen menos amigos cercanos o "confidentes" hoy que en 1985, y es más probable que el confidente sea un pariente. Una cuarta parte de los encuestados dijo que no tenía a nadie a quien confiarle sus secretos; el doble que en 1985.[2] Además es menos probable que conozcamos el nombre de nuestros vecinos y, en mi opinión, que nos interesemos en saber cómo se llaman. ¿Acaso los avances en la tecnología, que han creado mayores expectativas en cuanto a lo que podemos lograr en un día, nos han restado tiempo y energía para

2. Miller McPherson, Lynn Smith-Lovin y Matthew E. Brashears, "Social Isolation in America: Changes in Core Discussion Networks over Two Decades", *American Sociological Review* 71, no. 353 (2006).

desarrollar vínculos auténticos? Más aún, ¿valoramos menos la necesidad de desarrollar vínculos auténticos porque los hemos reemplazado por la comunicación superficial del correo electrónico, los mensajes de texto y las redes sociales?

El vínculo social te hace feliz

De modo que ¿por qué es importante todo esto? Porque las personas son importantes en nuestra vida. El bienestar social es indispensable para ser feliz. Las mujeres felices son mujeres que desarrollan vínculos sociales. Hay maneras sencillas de generar felicidad a través de los vínculos sociales. Considera las siguientes:

1. Deja de teclear y empieza a hablar.
2. Haz contacto visual.
3. Di la verdad.
4. ¡Sal de tu casa!
5. Rodéate de personas felices.

Echemos un vistazo a cada una de ellas.

1. Deja de teclear y empieza a hablar.

A medida que la tecnología se ha convertido en un elemento central de nuestra manera de comunicarnos, somos menos propensas a hablar con las personas. Ahora bien, debo admitir que a veces es algo bueno. Cuando quieres revisar el saldo de tu tarjeta de crédito y ver si se acreditó un pago, puede que realmente no quieras hablar con nadie, sino solo obtener la información. Es una transacción y es más fácil que el sistema automático te diga cuál es tu saldo. Pero cuando tus relaciones se convierten en una comunicación transaccional en vez de ser interactiva, se pierde la oportunidad de desarrollar un vínculo.

¿Has tenido alguna vez una conversación mediante mensaje de texto como esta?

—¿Qué tal?

—Bien.

—Ok. Solo quería saber de ti.

Al igual que la llamada automatizada al banco, hay veces en que enviar un mensaje de texto o correo electrónico o publicar un comentario en las redes sociales te da la posibilidad de comunicar algo cuando no tienes tiempo de hacer una llamada telefónica. El problema ocurre cuando esto se convierte en tu medio de comunicación exclusivo. Al hablar con algunas mujeres solteras en particular, una de las quejas más comunes fue que los hombres —mayores de treinta años— a menudo las saludaban o las invitaban a salir mediante un mensaje de texto en vez de llamarlas. "Es una forma de comunicación débil —dijo una de estas mujeres—. Yo pensaba que era exclusivo de un par de hombres con los que había salido, pero al hablar con mis amigas supe que todas experimentaron la misma frustración. ¿Cómo vas a llegar a conocer a alguien cuando todo lo que haces es enviar mensajes de texto?".

La tecnología te permite comunicar con más personas en menor profundidad y desarrollar muchos vínculos superficiales, pero muy pocos profundos. Si quieres ser feliz, será mejor que cierres Facebook y abras tu libreta telefónica. La próxima vez que sientas el impulso de enviar un mensaje de texto a esa persona de tu familia, trata de llamarla. Un par de veces al día, en vez de enviar un correo telefónico, toma el teléfono y llama a tu cliente o proveedor, o acércate al escritorio de tu compañera de trabajo.

2. Haz contacto visual.

Si quieres desarrollar un vínculo, la manera más rápida de hacerlo es mirar a la otra persona a los ojos. ¿Has notado esto últimamente? Las personas parecen más propensas que antes a caminar juntas sin mirarse una a la otra. El contacto visual es un reconocimiento de que la otra persona existe. El contacto visual es lo que más ayuda a desarrollar un vínculo. Por eso las personas pueden ser más crueles en la Internet que en persona. Seguramente, tu compañera de trabajo podría enviar un correo electrónico intimidante, pero si estuviera sentada cara a cara, el tono de la conversación sería más suave.

El contacto visual está ligado directamente a las emociones. Se cree que cuando hacemos contacto visual, se libera oxitocina, la molécula de la felicidad. Por eso el contacto visual prolongado con alguien no tan cercano puede hacernos sentir incómodas. También explica por qué el contacto visual es tan importante para las parejas, especialmente cuando están tratando de reestablecer el vínculo.

3. Di la verdad: La vulnerabilidad es clave para desarrollar un verdadero vínculo.

Como consejera personal, he ayudado a numerosas personas que no sabían cómo decirle algo difícil a otra persona. Tal vez necesitaban decir "no" a algo que no querían hacer. Por ejemplo, Susana vino a pedirme consejo porque le atormentaba la idea de decirle a su hermana que ya no quería seguir prestándole dinero.

—Siempre ha dependido de mí para todo. Finalmente comprendí que de esta manera no la estoy ayudando a crecer y administrar su vida financiera —explicó—. Me siento culpable, porque yo pude terminar la universidad y conseguí un buen empleo. Ella dejó los estudios después del primer año en la universidad y nunca prosperó en ninguna carrera ni en nada. Nos enseñaron que debíamos cuidarnos una a la otra, y eso es lo que hice. Pero ahora siento que ella se aprovecha de mí, como si creyera que tiene derecho a recibir mi ayuda. Yo tengo otras metas y otras cosas en las que me gustaría gastar el dinero, pero no puedo porque ella siempre tiene algún tipo de crisis: necesita arreglar el auto o no tiene suficiente para pagar la renta. ¡Y ya está demasiado grande para estas cosas!

—¿Le has dicho esto a tu hermana? —le pregunté.

—Bueno, no exactamente —respondió ella.

—¿Por qué no le dices lo que me acabas de comentar? Es lo que realmente sientes, ¿verdad? —le dije.

—Creo que he tenido miedo de ofenderla o provocar una grieta en nuestra relación —admitió ella.

—De acuerdo. ¿Le has dicho a tu hermana que tienes miedo de decirle lo que sientes porque tienes miedo de dañar la relación entre ustedes? —le pregunté.

Hizo una pausa para pensar.

—No, no le dije nada. Simplemente me resentí con ella y a veces se nota por la manera en que la trato. Así que la verdad es que ya hay una grieta en la relación —dijo ella.

Susana reunió valor para hablar con su hermana y decirle la verdad que me había contado.

—Al principio ella estaba a la defensiva —informó Susana—, pero yo fui sincera y se lo dije con amor, no con enojo. Incluso en un momento la tomé de la mano. La miré a los ojos todo el tiempo.

Y cuando ella se puso a la defensiva, noté que ella no me miraba a los ojos mientras hablaba. Le pedí que por favor me mirara. Allí es cuando noté un cambio. Finalmente dijo: "Detesto ser así. Tengo treinta años y quiero valerme por mí misma".

Susana se mostró lo suficientemente vulnerable como para decirle a su hermana la verdad de lo que sentía y hacerlo en amor. El resultado fue que la vulnerabilidad de Susana hizo que su hermana también se mostrara lo suficientemente vulnerable con ella como para decirle la verdad. Fue un punto decisivo en su relación, y hoy día tienen una relación más sana y más feliz. Todo comenzó con una conversación que requería que ambas se mostraran vulnerables.

Si quieres desarrollar un vínculo auténtico, necesitas mostrarte suficientemente vulnerable y ser sincera: primero contigo misma y luego con otros.

4. Sal de tu casa.

Un sábado reciente fui con dos amigas a un festival de jazz en Atlanta; un suceso anual al que concurren 150.000 personas durante tres días. Mis amigas y yo llevamos una merienda, algunas bebidas y mantas, y buscamos un lugar al sol sobre el extenso prado del parque de Piedmont. Mientras hablábamos de todo, desde el tiempo y las relaciones hasta las personas que nos rodeaban, de repente me di cuenta de algo. Aunque se suponía que el enorme escenario y el concierto serían el centro de aquella actividad, para nosotras no era más que el telón de fondo de una conversación al sol en medio de miles de personas. Miré a nuestro alrededor y no éramos las únicas que se podrían describir de la misma manera. La mayoría no estaba prestando atención a la música, excepto cuando terminaba una pieza musical y todos aplaudían. En cambio, estaban cuchicheando y conversando. Los niños estaban jugando. Los adultos se estaban riendo y hablando. Algunas personas jugaban con un *frisbee* o con una pelota de fútbol.

"¿Crees que las personas simplemente quieren estar donde hay más personas? —le pregunté a una amiga—. Porque parece que no estamos haciendo nada que no pudiéramos hacer si nos hubiéramos quedado en casa, en nuestro propio patio o sala". Sin embargo, de alguna manera, ir a otro lado y estar en contacto con otras personas multiplicó nuestra energía aquella tarde. De modo que, incluso, en medio de una gran multitud de concurrentes a un festival, se pueden desarrollar vínculos, porque nos sentimos parte de algo más grande: un vínculo social con nuestra comunidad.

5. *Rodéate de personas felices.*

¿Sabías que la felicidad es contagiosa? Tener personas felices en tu círculo de amistades y familiares te hace más propensa a ser feliz. Por cierto, aquí se aplica el dicho: "Dios los cría y ellos se juntan". De modo que, con el solo hecho de practicar algunas cosas de este libro, podrías estar influenciando la felicidad de quienes te rodean. Las personas con más vínculos sociales —ya sea un cónyuge, amigos, vecinos, compañeros de trabajo o conocidos— son más felices. Y, según investigadores de la Universidad de Medicina de Harvard, cada persona feliz que se agrega a tu círculo de amigos afecta positivamente tu propia felicidad.[3] Con base en la información del famoso estudio de Framingham, que muestra que males como la adicción al cigarrillo y la obesidad se propagan dentro de los grupos sociales, se determinó que también se propagan consecuencias positivas tales como la felicidad. Si una persona de tus vínculos sociales cercanos es feliz, tu posibilidad de ser feliz se incrementa en un 10%. Cada amiga que no es feliz incrementa tu posibilidad de que no seas feliz en un 7%. Para comparar esto con la incidencia del dinero en tu felicidad, investigadores concluyen que el incremento del mismo porcentaje de felicidad que provoca un amigo equivale a recibir un aumento de $20.000.

Desde luego que a veces nuestras amistades y familiares no son felices por una buena razón. Por ejemplo, podrían estar pasando por un tiempo difícil. Sin embargo, cuando consideras incorporar nuevas amistades o piensas en alguien para formar pareja, decide sabia y cuidadosamente. Sus hábitos de felicidad afectarán tu propia felicidad. Cuando te sientes triste, proponte pasar tiempo con amigas felices. Sin duda te levantarán el ánimo. Piensa en personas dentro de tu círculo social, desde tu esposo y tus hijos hasta hermanos, padres, otros familiares, amigas, vecinas y colegas. ¿Quiénes son personas felices

---

3. James H. Fowler y Nicholas A. Christakis, "Dynamic Spread of Happiness in a Large Social Network: Longitudinal Analysis over 20 Years in the Framingham Heart Study", *British Medical Journal*, (5 de diciembre, 2008), doi: 10.1136/bmj.a2338.

dentro de tu círculo social? ¿Pasas más tiempo con personas felices o no felices?

Los vínculos te ayudan a ser una persona sensible

Mientras escribía este libro, aprendí lecciones constantes. El miércoles pasado, todavía estaba con la euforia de mi viaje a Nueva York, el cual había incluido una aparición en el programa de televisión *Today* y algunas breves reuniones con varios otros medios de comunicación. Fue un viaje soñado, productivo y divertido, pero había sido de improviso, y no había previsto estar fuera los dos primeros días de la semana. A menudo las personas piensan que no tengo tiempo nada más que para trabajar. En realidad, estoy empeñada en hacer que mi vida sea mucho más que trabajar. Si no fuera así, no creo que pudiera tener mucha inspiración para poder escribir. Sin embargo, debo admitir que se requiere mucha intencionalidad para mantener un equilibrio entre mi vida personal y profesional, especialmente cuando el trabajo no siempre es predecible y los plazos de entrega son reales, pero ahora lo manejo mucho mejor que antes.

¡No sé cómo es tu vida, pero apuesto a que te puedes identificar conmigo! Ya sea que se trate de las exigencias excesivas de tu empleador, de tener que cuidar de tus seres amados o simplemente de intentar encontrar tiempo para hacer ejercicio, es un reto llegar a hacer todo con gracia. Pues bien, es un reto llegar a hacer todo. Punto.

Cada noche anoto algún comentario breve en mi diario personal: dos o tres oraciones que resumen los momentos más significativos del día. Me toma solo sesenta segundos y me da un sentido de claridad sobre lo que realmente importa. Por ejemplo, el miércoles pasado, después de regresar de mi viaje, lo que escribí en mi diario personal no fueron todas las llamadas y los correos electrónicos de amistades y familiares que recibí sobre mi aparición televisiva. En cambio, fue mi entusiasmo por la entrega de una nueva mecedora para mi patio y una reunión con una de mis mejores amigas, Yvette, en una tienda de decoración para elegir un par de almohadones para la mecedora. Cuando llegué al estacionamiento para encontrarme con ella, hacía cinco minutos que había terminado mi sesión de masajes para calmar mi ráfaga de adrenalina de los dos días previos. Yvette estaba tan exhausta de haber estado de una reunión a otra en su trabajo que llegó al estacionamiento temprano y tomo una siesta. Cuando yo llegué, ella salió del auto y empezamos a caminar como dos señoras mayores a paso lento. Cuando nos percatamos de lo lento que íbamos, nos miramos una a la otra y nos desternillamos de risa.

—Ya hemos tenido bastante esta semana, ¿no te parece? —le dije.

—Sí —fue lo único que pudo responder.

Entramos a la tienda y pasamos los treinta minutos siguientes deliberando sobre el beneficio de los estampados comparados a los colores sólidos, y el de los colores neutrales comparados a los brillantes. Fue divertido... y un descanso.

¿Por qué la elección de almohadones para una mecedora fue lo más importante de ese día? Porque cuando pienso en hamacarme, pienso en el pórtico del frente de la casa de mi bisabuela en Carolina del Sur cuando yo era niña. Recuerdo cuando me sentaba en la mecedora del pórtico con mis primos y hablaba con mis tías y tíos, y cuando escuché la historia de mi abuela que derramó azúcar en el aljibe que estaba junto a la casa para endulzar el agua (¡y la paliza que recibió después!). También pienso en la mecedora que había en el patio posterior de mi casa de la infancia, que estaba en la base de la Fuerza Aérea de Tyndall en Florida. Me hamacaba durante horas y horas, mientras miraba a los delfines que saltaban y jugaban en el golfo de México detrás de nuestra casa. No estaba buscando una mecedora, pero la semana pasada, mientras compraba otras cosas, apenas la vi, sentí el impulso de comprarla.

Cuando Yvette y yo entramos a mi casa, fuimos directamente al patio posterior para colocarle los almohadones, ¡y calzaron perfectamente! Entonces decidimos hamacarnos. Con los pies colgando y mirando los árboles que estaban frente a nosotras, disfrutamos de un simple momento de no hacer nada.

¿Qué quiero decir? En medio de un ritmo frenético y los éxitos profesionales, las cosas que más significado tienen para ti generalmente están vinculadas a personas que amas y las experiencias placenteras que has tenido. A medida que alcanzas mayores niveles de éxitos, es aún más importante ser sensible a las simples experiencias de la vida que tienen un significado especial para ti. No le restes valor a un momento con una amiga o a una cena con tu familia o a esa llamada telefónica que tienes la intención de hacer. Todos los éxitos profesionales y financieros del mundo significan poco si no tienes una vida significativa de vínculos sociales fuera del trabajo.

¡Practica esta receta para la felicidad!

- Ten al menos seis horas de tiempo social por día. Eso puede incluir cualquier actividad en la cual interactúas con otros, incluso trabajo, llamadas telefónicas y comidas.
- Di la verdad. En una conversación que necesites tener, ¿qué sucedería si simplemente fueras sincera y dijeras la verdad?
- Sácate la máscara y muéstrate vulnerable. Ser vulnerable significa ser sincera con respecto a quién eres y qué sientes. La vulnerabilidad es clave para conectarte con otros.
- ¡Júntate con alguien feliz! Una de las maneras más rápidas de practicar el hábito de ser feliz es estar alrededor de otros que tienen el hábito de ser feliz.
- Haz contacto visual.
- ¡Abraza, sonríe, toma de la mano y toca a esas personas cercanas a ti!

TEMA DE CONVERSACIÓN

Contagia felicidad

Es hora de iniciar un movimiento para fomentar la felicidad.

Reflexión personal

- La presión por parecer feliz a menudo conduce a las mujeres a poner cara de póquer. No hablamos unas con otras, lo cual significa que tampoco comentamos soluciones unas con otras.
- Los cambios de cualquier especie, por lo general, comienzan de una persona a la otra, una persona transformada a la vez.
- Tú tienes el poder de fomentar más felicidad entre las mujeres que conoces. Solo saca el tema de conversación.

Preguntas para iniciar el diálogo

- La felicidad es contagiosa. ¿La estás contagiando? Si no, ¿qué estás contagiando?
- ¿Quiénes son las mujeres de tu círculo de influencia con quienes te gustaría servir y a quienes te gustaría ayudar para que sean más felices en la vida?
- ¿De qué manera podrían servir tú y tus amigas en tu comunidad?

Estos cambios culturales que sucedieron en los últimos cuarenta años están minando la felicidad de las mujeres, y es tan sutil que ni siquiera lo notamos. Pero podemos hacer algo para contrarrestarlo, y todo empieza con mujeres que estén dispuestas a alzar la voz y hablar de qué necesitamos para ser felices… y qué no necesitamos. Creo que puedes ser una de esas líderes que ayuden a iniciar el movimiento de la felicidad. Ya sea que empieces con tu hermana, tu amiga, tu hija, tu mamá o todo tu vecindario o toda tu iglesia, quiero darte algunas herramientas para que sepas cómo entablar una conversación con otras personas.

Es bastante simple. No cuesta nada. Lo que quiero es que uses el tema de las mujeres y la felicidad para iniciar el diálogo. Cuando saques el tema, permite que las mujeres que te rodean sean auténticas sobre los verdaderos retos y triunfos que están experimentando en la vida diaria. Lo que es más importante, ayúdales a entender la manera de generar más felicidad cada día.

Las herramientas están en línea (solo disponibles en inglés). Visita www.valorieburton.com/girlfriends para descargar de forma gratuita la "Girlfriends' Gab Guide" [Guía para charlar entre amigas], que incluye una guía para la líder y para cualquier otra persona que colabore, ideas para reunirse, un video para ayudar a seguir el hilo de la conversación y los apuntes con "recetas para la felicidad" entre amigas ¡con consejos para activar cada una de las 13 recetas!

Desarrollar un vínculo tiene que ver con una comunicación de corazón a corazón. Y ¿qué mejor manera de desarrollar ese vínculo, que con un grupo de mujeres del mismo parecer, todas con la única meta de ser más felices? Puedes dar estos pasos sencillos:

1. **Haz la diferencia** y saca el tema de conversación entre las mujeres de tu círculo de influencia. Pues, como mujeres, no estamos hablando suficiente sobre lo que realmente está pasando y las cosas sencillas que podemos hacer para ser más felices.
2. **Elige el día y la hora** para juntarte con otras mujeres. Ya sea que quieras reunir a las mujeres del trabajo durante la hora del almuerzo o quieras organizar, literalmente, una "hora feliz" para hablar sobre lo que se necesita para ser feliz, planifica una reunión que les ayude a desarrollar vínculos y dialogar. Organiza una "noche de chicas" con pizza y ensalada o ¡una tarde social para comer helado (personalmente, mi favorita)!
3. **¡Invítalas y asistirán!** Puedes invitarlas a través de las redes sociales, con una llamada telefónica, un mensaje de texto o una tarjeta de invitación. Hazlo de la manera más fácil para ti y para que ellas respondan. No tiene que ser formal, a menos que sea tu estilo.

4. **¡Inicia la conversación con la "Girlfriends' Gab Guide"!** (solo en inglés). Descarga la guía de www.valorieburton.com/girlfriends y usa las preguntas para iniciar la conversación sobre los cambios culturales, los retos de la vida real y cómo usar las recetas para la felicidad a fin de fomentar tu felicidad. Anima a tus amigas a comprarse su propio libro, poner en práctica las recetas para la felicidad y ser parte del movimiento de la felicidad.
5. **¡Hazme saber cómo te va!** Te garantizo que estas reuniones incentivarán un diálogo apasionado e ideas entre las mujeres que te rodean. Así fue cuando organicé mi propia "reunión para charlar entre amigas" y usé las mismas preguntas de la guía. Si has decidido participar de las redes sociales, envíame un tweet o un mensaje a través de Facebook para informarme cómo van tus reuniones entre amigas. Twitter @valorieburton y Facebook www.facebook.com/valorieburtonfanpage.

RECETA PARA LA FELICIDAD #7

Fluir

Cómo evitar las distracciones y eliminar la presión del tiempo.

Decisión:

"Me propongo minimizar las interrupciones para poder dedicarme de lleno a la tarea que tengo entre manos".

Muchas veces hacemos las cosas como por inercia. ¿Tuviste alguna vez esta sensación? Es como si lo único que quisieras es terminar de hacer la tarea que tienes entre manos. Sin embargo, no prestas atención a nada de lo que haces y no le das la excelencia ni el tiempo que se merece. En su lugar, corres de una actividad a la otra, y a veces solo lo haces de manera automática con la consciencia permanente de lo que sigue en tu lista de cosas por hacer. Estás estresada, no feliz.

Una de las recetas más difíciles de practicar es aprender a fluir: estar totalmente concentrada en una actividad, a tal grado de quedar absorta por completo en lo que estás haciendo. Según el investigador, Dr. Mihaly Csikszentmihalyi, autor de: *Fluir* (*Flow): Una psicología de la felicidad*[1] todas las personas fluyen y sienten características similares cuando están en estado de flujo. Se sienten vivas y despiertas. Pierden la consciencia de sí mismas. Sienten una profunda satisfacción por el logro alcanzado y puede que no hayan tenido que hacer "ningún esfuerzo" para lograrlo. Están en estado de flujo, en su condición óptima. Los

---

1. Mihaly, Csikszentmihalyi, *Fluir (Flow): Una psicología de la felicidad* (Barcelona: Kairós, 2003).

atletas y los músicos a menudo describen el estado de flujo como estar "totalmente concentrados". Los escritores y artistas explican que sienten como si la obra fluyera a través de ellos, casi sin esfuerzo, como si se les pasara el tiempo volando.

Sin embargo, el estado de flujo no ocurre únicamente en el ámbito de los deportes, el entretenimiento y el arte. Puede ocurrir en cualquier categoría de trabajo. La empleada de una tienda que disfruta tanto de atender a los clientes que pierde la noción del tiempo y dice: "¿Ya es hora de irse?", está en estado de flujo. De igual modo está la maestra que se deja llevar por la emoción de enseñar un nuevo material didáctico a tal punto que sus alumnos tienen un entusiasmo poco visto en otras clases. De repente, disfrutan de la clase de matemática, ¡a pesar de que el año pasado pensaban que la detestaban! La pasión y el estado de flujo de la maestra son contagiosos e inspiran y alientan a sus alumnos.

A las mujeres les resulta cada vez más difícil fluir (¡y a los hombres también!) en la cultura de hoy. Vivimos en la era de las interrupciones. ¿Cuándo fue la última vez que pudiste hacer algo sin interrupciones? ¿No lo recuerdas? Bienvenida al club. Estamos programadas mentalmente para las interrupciones constantes. Si no es el teléfono celular, es un mensaje de texto, la llamada de un vendedor telefónico a la línea de tu casa o la campanilla de un correo electrónico que te avisa la llegada de un nuevo mensaje, que en realidad podría tratarse de un "correo basura", pero al menos ahora sabes que tienes un mensaje pendiente de leer. Sin embargo, la tecnología no es la única culpable. Si eres madre, especialmente de niños pequeños, la idea de hacer cualquier cosa totalmente concentrada cuando tus hijos están dando vueltas a tu alrededor —a excepción de cuidar de ellos— es casi imposible. En el trabajo, con frecuencia debes estar atenta y responder a las necesidades de cualquiera que tenga una consulta, que te pida algo o que simplemente quiera conversar.

Pero no nos engañemos. A menudo, aun cuando tenemos un momento para dedicarnos de lleno a lo que estamos haciendo, lo que menos necesitamos es que la tecnología o las personas nos distraigan. ¡Podemos distraernos bastante sin la ayuda de nadie! ¿Has notado alguna vez cuántas cosas haces cuando deberías estar haciendo otra cosa? La desidia es el ladrón por excelencia de la capacidad de fluir.

Si tienes demasiadas tareas en tu lista de cosas por hacer, descubrirás que es casi imposible poder fluir. Es una pesadilla estar demasiado cargada de trabajo y agobiada por las obligaciones. Aunque todas las actividades de tu agenda sean cosas que realmente quieres hacer, cuando son demasiadas, no puedes disfrutarlas y eso te roba la felicidad. Sé cuando me pasa esto porque me estreso por cosas como conducir dos horas hasta mi casa para ver a mi familia o volar a una conferencia donde tengo que predicar. Estas son cosas que disfruto en extremo y me siento relajada cuando las hago. Estoy en estado de flujo, sonriente, en el mejor lugar donde podría estar. La excepción ocurre cuando trato de hacer demasiadas cosas en el mismo día o en la misma semana. Entonces, no estoy en estado de flujo, ni sonriente ni en el mejor lugar donde podría estar. ¿Te ha pasado a ti?

¿Cuándo se te pasa el tiempo volando?

Cuando era niña, le rogaba a mi madre que me llevara y me dejara en la biblioteca. En realidad, no quería que ella se quedara conmigo porque, para mí, el mundo de los libros era una aventura. ¡No sabía qué me podía encontrar en el siguiente estante! No quería estar limitada por el tiempo o un horario. Quería perderme en el mundo de los libros, en medio de una abundancia infinita de historias e información. En ese entonces no me daba cuenta, pero cuando me quedaba en la biblioteca, estaba en estado de flujo.

Cuando estés realmente en estado de flujo, lograrás y harás cosas que para otros podrían resultar curiosas o que simplemente no les interesan. He aquí un ejemplo. Durante las vacaciones de verano, cuando pasé de tercer a cuarto grado, las bibliotecarias me animaron a inscribirme en un concurso de lectura, ¡y lo gané! Todavía tengo mi premio: una enciclopedia mundial a todo color. Pensé: *¡Más para leer! ¡Estupendo!* La cuestión es que no gané por una mínima diferencia, sino que leí tres veces la cantidad de libros (64 en total) de quien obtuvo el segundo lugar (23). Y nadie me obligó a hacerlo. Me estaba divirtiendo. Ese verano, me sumé a la aventura de Harriet Tubman en el ferrocarril subterráneo y a Cassius Clay cuando se convirtió en Muhammad Ali. Aprendí respuestas a preguntas como: "¿Estás ahí, Dios? Soy yo, Margaret" y me hice muchos amigos en el corral en *La telaraña de Carlota*. Más de tres décadas después, todavía recuerdo cuánto disfruté el concurso de lectura de ese verano. Me hacía feliz leer. Y aun hoy me hace feliz. Si los días que disponía de tiempo me llevaban a la biblioteca de mi localidad, nunca me aburría. Iba de una sección a otra y exploraba las últimas novelas divertidas, libros de autoayuda, de inspiración cristiana y biografías. Con razón soy escritora. Los libros me provocan un estado de flujo, ya sea al leerlos o escribirlos.

Una amiga me señaló un día que los libros adornan cada habitación de mi casa. Decoran mis mesitas a la espera de que alguien los vuelva a agarrar e invitan a nuevos lectores a hojear sus páginas. Sucede naturalmente. No recuerdo haber determinado: "Valorie, deberías tener libros en cada habitación". No hace falta. Yo mantengo una relación con mis libros. Algunos me ayudaron a obtener una nueva perspectiva o me dieron esperanza cuando lo necesité. Otros me hicieron reír o me acompañaron a la playa y me entretuvieron mientras tomaba el sol y escuchaba el sonido de las olas que rompían en la orilla. Incluso otros me hicieron viajar a través de la historia, y me permitieron acercarme y conocer a personas fascinantes.

¿Qué te hace fluir? ¿Cuándo haces qué cosa se te pasa el tiempo volando?

Es probable que lo que te provoca a ti un estado de flujo sea diferente a lo que provoca ese estado en mí. Vuelve a pensar en una actividad que hayas realizado, cuando el tiempo se te pasó volando. Si son más de una, ¡genial! Enuméralas todas.

____

____

____

____

¿Qué te distrae?

Lo que más dificulta lograr un estado de flujo son las interrupciones que nos distraen y nos impiden estar enfocadas. Investigaciones revelan que las interrupciones disminuyen la felicidad. Una razón posible es que afecta el fluir y además nos hace perder el control de las cosas. Proponte evaluar tus distracciones y hacer un plan para eliminarlas una a una. Por ejemplo, si quieres dedicarte de lleno a un proyecto laboral, haz una lista de lo que sucedió la última vez que te dedicaste a trabajar en ese proyecto y no cesaron las distracciones. Podría requerir cierta disciplina de tu parte. Por ejemplo, puede que necesites desconectarte por completo de la Internet para evitar la tentación de sucumbir y navegar por la red. Puede que necesites apagar tu teléfono celular o programarlo en modo de avión para que en lugar de ver que alguien está llamando y tener que ejercer disciplina para no responder, no recibas ninguna llamada. Además, por más que ignores cualquier distracción, seguirá siendo una distracción.

Ser disciplinada requiere energía. De modo que elimina la necesidad de ser disciplinada al poner un alto a las distracciones antes que aparezcan. Cuando el teléfono suena, aunque lo ignores, probablemente te preguntarás: "¿Por qué me estará llamando? Ah, sí, ayer le dije que le enviaría el enlace para el sitio de Internet y me olvidé... Bueno, no me llevará más que unos minutos, así que voy a hacerlo rápidamente". Ya sabes cómo es esto. Es una situación difícil e inevitable, y tu mejor opción es estar enfocada. Si hay personas en tu lista de distracciones, habla con ellas antes de tratar de concentrarte. De esa manera, no tendrás que darles explicaciones cuando estés tratando de concentrarte. Si hay algo en tu entorno que te distrae —un ruido fuerte o desorden, por ejemplo— ocúpate de eso también. Por ejemplo, cuando estoy concentrada en mi escritorio, a menudo uso un sonido de fondo de una aplicación de mi teléfono celular llamada *SleepStream*. Por lo general, hay personas que trabajan y hablan en las oficinas contiguas y el sonido de fondo me impide escuchar sus conversaciones así como el tic-tac del reloj de mi oficina. A mí me funciona. Busca algo que te funcione a ti.

Dedícate de lleno a lo que estás haciendo

Cuando di una conferencia en Kansas City, una estudiante graduada de la secundaria que había recibido una beca describió su filosofía por la cual se había registrado en una sola universidad: una prestigiosa universidad de arte en Nueva York. Ella comentó: "Me dijeron: '¡No pongas todos los huevos en una sola canasta!'". Después explicó: "¡Pero a mí me gusta esta canasta!". La audiencia se rio. Me gusta la intrepidez y la claridad de su respuesta.

En una cultura que a menudo te aconseja que tengas un plan de emergencia por si tus sueños no se cumplen, va contra la lógica "poner todos los huevos en una sola canasta". Sin embargo, cuando planificas para la situación hipotética de que no resulte bien, a veces tratas de hacer demasiadas cosas a la vez y no pones suficiente energía (huevos) en ese sueño (canasta) que realmente deseas que se cumpla. Fíjate en qué estás concentrando tu energía. ¿Es sobre todo en realizar tu meta? ¿O estás haciendo tantas cosas a la vez, que te quedan pocos recursos o energía para los objetivos que realmente quieres lograr?

Demasiadas canastas pueden debilitar tus esfuerzos e impedir que te dediques a una sola cosa. Muchas veces el temor te impide dedicarte de lleno a aquello que más deseas. Ya sea que se trate de una relación, un empleo o un proyecto comercial, cualquier cosa que valga la pena merece toda tu dedicación. En el caso de poner todos los huevos en una sola canasta y que esa canasta se pierda, confía en tu capacidad y fe para usar la sabiduría adquirida para empezar de nuevo y volver a hacerlo. Eres una persona capaz de adaptarse y superar adversidades; y si tienes que volver a empezar, podrás hacerlo.

Este ejemplo es una perspectiva más amplia de lo que significa estar en estado de flujo, pero es muy relevante a la conversación sobre la felicidad para nosotras como mujeres. Con mucha frecuencia, nos comportamos como si la vida fuera un período de prueba. Es como si creyéramos que algún día tendremos la oportunidad de regresar y hacerlo tal cual queríamos. No es así. Dedícate de lleno a la oportunidad que se te presente, y quizás te sorprendas de cuántas más oportunidades y felicidad comenzarán a fluir de ti. Es difícil dedicarte de lleno a una oportunidad cuando simultáneamente estás buscando otras tres. Uno de mis dichos favoritos es: "El que mucho abarca, poco aprieta".

Ayuda a otros a fluir

He aquí algunas ideas para ayudar a otros a practicar esta receta para la felicidad:

- Observa qué actividades les da alegría. ¿Qué están haciendo cuando ves que inmediatamente se llenan de energía? Planifica una actividad o proyecto que los estimule.
- Reconoce que lograrán tener su mejor desempeño cuando el reto que se les presente esté al nivel justo de su capacidad: no muy por arriba, de tal modo que se frustren; y tampoco demasiado

fácil, de tal modo que se aburran. Si cumples una función de liderazgo sobre otras personas (por ejemplo, como jefa o madre), tendrás que ser intencional con respecto a lo que les pidas.

- Ten cuidado de no sobrecargar su agenda con demasiadas actividades que no tengan ninguna relación. Procura que tengan períodos de tiempo sin interrupciones.
- Dales espacio para que puedan fluir. ¿Necesitas hacerles una pregunta mientras están en estado de flujo? A menos que sea una emergencia, ¡puede esperar!

¡Practica esta receta para la felicidad!

- ¡No trates de abarcar tantas cosas a la vez, de tal modo que no te queden recursos o energía para enfocarte en lo más importante! Concentra tus esfuerzos. No tengas miedo de dedicarte de lleno a lo que realmente te gusta. ¡Pon todos los huevos en una sola canasta!
- Pregúntate esto: ¿en qué sentido estás tratando de abarcar mucho? ¿En pos de qué objetivo necesitas poner más energía o recursos? ¿Qué debes dejar de lado a fin de tener energía y recursos adicionales para dedicarte a tu objetivo?
- Identifica las tres mayores distracciones que en este momento te están robando tu concentración. Pregúntate, ¿cómo puedes eliminar (o al menos, minimizar drásticamente) cada una de estas distracciones?
- ¿Qué actividad te lleva a un estado de flujo? ¿Puedes dedicarte a esa actividad en este momento? ¡Hazlo!
- Identifica las tres mayores distracciones que te impiden poder enfocarte en el trabajo y mantener tus prioridades. Piensa en una solución para eliminar o al menos minimizar esas distracciones.
- Cuando te sientes a comer, ya sea sola o acompañada, guarda tu teléfono celular, no respondas llamadas a tu teléfono fijo, apaga la televisión y vive plenamente ese momento.
- Identifica tus fortalezas y úsalas en el trabajo. Si no se te ocurre la manera de usar tus puntos fuertes, ponte un objetivo y una fecha tope para dedicarte a eso que amas. No te conformes con

gastar más de 2080 horas por año en un trabajo que te aburre y no te permite contribuir con lo mejor de ti.

- Haz una lista de actividades que, cuando te dedicas a ellas, pierdes la noción del tiempo. Dedícate al menos a una de esas actividades por día. Estos son algunos ejemplos para empezar: hacer un trabajo que te guste, jugar con tus hijos, realizar un pasatiempo favorito, perderte entre los libros de una biblioteca de tu localidad, pasar tiempo con tus seres amados. Completa el espacio en blanco: ______________________________.

TEMA DE CONVERSACIÓN

Confesiones de una desidiosa recuperada

El perfeccionismo te induce a pensar que estás más ocupada de lo que estás.

Reflexión personal

- Las recompensas modernas de gratificación instantánea (mensajes de texto, correos electrónicos, mensajería instantánea, Skype) facilitan más que nunca las distracciones.
- El perfeccionismo es tu peor enemigo y a menudo se manifiesta como desidia. No empezarás a hacer algo hasta no tenerlo todo resuelto. ¿Te suena conocido?
- La desidia provoca una ansiedad innecesaria que atenta contra la felicidad.

Preguntas para iniciar el diálogo

- ¿Cuándo es más probable que aplaces una decisión o tarea?
- ¿Qué te ayuda a no estar estancada?
- ¿Por qué sientes que debes hacer las cosas a la perfección? ¿Qué pasaría si no lo hicieras?

Estoy escribiendo esto desde la habitación de un hotel, a un kilómetro y medio de mi casa. Lo sé. Es extraño. Traté de explicárselo a una buena amiga que me llamó por teléfono:

—Estoy en un hotel —le dije.

—¿En qué ciudad estás?

—Atlanta.

—¿Quieres decir que regresas a Atlanta mañana? —preguntó.

—No, estoy en un hotel de Atlanta.

—Ah —dijo mi amiga—. ¿Entonces tienes una conferencia en Atlanta mañana y estás en el hotel donde se va a llevar a cabo la conferencia?

—No —dije—. No tengo ninguna conferencia mañana. Solo decidí quedarme en un hotel cerca de mi casa.

Silencio.

—Ah... —dijo mi amiga—, ¿y cuánto te cuesta?

Pues bien, lo que sucede es que vi todo lo que tenía que hacer antes de las fiestas y decidí, como "una desidiosa recuperada con tendencia a recaer", que sería mejor que pensara en un plan que me ayudara a concentrarme. Así que decidí alojarme en un hotel para así tener las condiciones ambientales propicias para poder enfocarme en mi agenda, por no mencionar la amenaza de haber gastado el dinero si me voy del hotel sin haber terminado lo que vine a hacer. Estaba motivada y eso me ayudó a ser productiva.

Cuando estoy estancada, a veces todo lo que necesito es un cambio de ambiente. ¿Y tú? Tal vez un nuevo ambiente podría ser el estímulo que necesitas para ser productiva o empezar a planificar lo que quieres hacer la semana o el año que viene. Ya sea una tarde en Starbucks o un fin de semana lejos de casa, salir físicamente de tu rutina diaria puede ayudarte también a salir mentalmente de esa rutina.

RECETA PARA LA FELICIDAD #8

Jugar

Por qué las mujeres juegan menos que los hombres, y por qué deberías empezar a divertirte un poco más.

Decisión:

"¡Me propongo jugar, hacer roberías y divertirme!".

Era la tercera vuelta que daba en la piscina para niños de un centro turístico de Orlando, donde había dado una conferencia hacía dos días. Me encanta cuando tengo que predicar en algún lugar donde puedo quedarme después de terminar mi trabajo. Particularmente, no soy una buena nadadora, de modo que ir sobre un flotador azul por los bordes de la piscina y bajo la cascada de agua era justo para mí. Mientras chapoteaba con mis pies en el agua y flotaba bajo el sol, el sonido de las voces de los niños y de la risa de los adultos me relajaba y me transmitía felicidad. Sin embargo, como a la tercera vuelta, se despertó en mí el deseo de una mayor aventura.

Observe que los niños de la piscina de al lado gritaban con euforia mientras se lanzaban por un sinuoso tobogán acuático que los depositaba con un gran chapuzón en el agua. Pensé: *¡Qué divertido!* y recordaba qué bien la pasaba con mis amigas en el parque acuático de Denver en mis años de adolescencia. Cuando descendía por esos toboganes, anticipaba cómo sería el chapuzón, hasta qué profundidad llegaría, si podría contener la respiración correctamente para evitar que me entrara agua en la nariz y la alegría misma de la caída final en el agua. A medida que la velocidad de la caída se aceleraba, a veces trataba de ir más lento, pero era en vano. Una vez que te lanzas por un tobogán, ya no tienes control sobre ti. ¡Así que es mejor dejarte llevar y disfrutar la experiencia!

Cuando desperté de ese recuerdo de mi niñez y recordé que estaba en una piscina de Orlando, se me ocurrió: *¿Por qué no me subo al tobogán? No hay límite de edad. ¿Por qué no hacerlo?* De modo que salí de la piscina para niños y caminé hacia la otra piscina con tobogán. Los dos trabajadores encargados del sector ni repararon en mí. Por alguna razón, mi voz interior de desconfianza, que a veces imagina lo que otras personas están pensando, tenía miedo de que me pidieran mi documento de identidad o me detuvieran para ver si era demasiado alta, como suelen hacer en el sector de juegos de los restaurantes de comida rápida. Estaba esperando que me dijeran: "¡No puedes subir al tobogán acuático! ¡Eres demasiado grande! Este juego es para los pequeños. Tienes suerte de que te permitamos estar en la piscina para niños". Pero nadie dijo ni una palabra. Me senté en la punta del tobogán y avancé lentamente hasta el borde… y luego me lancé con una sensación de vértigo y a las carcajadas durante toda la caída.

Caí en el agua y me hundí por completo. Ahora mi cabello estaba completamente mojado (¡algo que había podido evitar cuando flotaba!) y pensé: *¡Lo haré de nuevo!* Pero esta vez me sentía más segura. Mientras avanzaba lentamente hacia el borde del tobogán, levanté mis manos sobre mi cabeza. ¡Gran error! Me invadió una sensación de vértigo mientras me deslizaba y caí con un gran chapuzón al agua de la piscina. Cuando salí a la superficie, los dos encargados del sector parecían descostillarse de la risa, aunque quizás con un poco de vergüenza, pero, cuando salí de la piscina después de haberme hundido hasta el fondo, los dos encargados me miraron boquiabiertos. ¡Para mi horror, de repente me percaté de que había tenido un accidente con mi traje de baño! Miré a mi alrededor para ver si alguien más lo había notado. ¡Qué alivio! Nadie. O al menos nadie actuaba como si hubiera visto algo.

Para evitar otro contratiempo, decidí que haberme tirado dos veces por el tobogán era suficiente. Me dirigí a la silla que estaba al lado de la piscina y pense: *Mejor vuelvo a mi lectura.* Tal vez había llegado el momento de usar la receta para la felicidad de relajarse. Había sido bastante juego para un día.

"Saber cómo jugar es un talento que te hará feliz".
RALPH WALDO EMERSON

Las mujeres no hablamos mucho de "jugar", pero deberíamos hablar más de este tema. O, más bien, simplemente jugar. Al parecer, los hombres juegan más. Normalmente, los hombres se reúnen para jugar al fútbol, al basquetbol, al golf o incluso videojuegos. Cuando pensamos en "zanganear", generalmente pensamos en los niños y los hombres, no en las niñas y las mujeres. Pero los estudios revelan que jugar es importante para nuestro bienestar de muchas maneras, una de las cuales es experimentar más felicidad en nuestra vida. De hecho, un estudio llevado a cabo por el Dr. Alan Krueger de la Universidad de Princeton descubrió que somos más felices cuando participamos de actividades de esparcimiento.[1] Sin embargo, en un mundo que hace demasiado énfasis en el trabajo y la productividad, jugar ocupa el último lugar en la lista de tareas a realizar para la mayoría de las mujeres, si es que está incluido en la lista.

Hace tiempo que los psicólogos han notado que el vínculo entre los hombres suele consolidarse hombro a hombro cuando juegan juntos. Ya sea cuando son niños y se pelean cuerpo a cuerpo (¡algo que raras veces vemos hacer a las niñas!) o cuando son más grandes y juegan un partido de fútbol o compiten palmo a palmo en los videojuegos, esta parece ser su manera natural de relacionarse. Por otro lado, las mujeres preferimos el vínculo cara a cara. Nos gusta hablar, escuchar y conversar. Cuanto más nos sentimos escuchadas, más fácil es el vínculo. Sin embargo, eso no significa que debemos omitir el juego. Podría ser más importante en los tiempos que corren, porque jugar le da un descanso a tu mente. Cuando juegas, te concentras en lo que estás haciendo y por un momento te olvidas de todas tus preocupaciones. No puedes jugar y hacer otra cosa al mismo tiempo.

En la cultura de hoy, estamos más obsesionadas con trabajar y producir resultados en todo lo que hacemos. Pero lo valioso de jugar no está en los resultados, sino en la experiencia. Jugar reduce el estrés y despierta la creatividad, ya que participas de una actividad por puro placer o interés.

1. Alan Krueger, "Are We Having More Fun Yet? Categorizing and Evaluating Changes in Time Allocation", *Brookings Papers on Economic Activity 2*, (2007), http://www.brookings.edu/~/media/projects/bpea/fall%202007/2007b_bpea_krueger.pdf .

¿Por qué jugar te hace más feliz?

En realidad, jugar podría revelar aun más de tu carácter que el trabajo. Elegimos en qué jugar con base en lo que nos interesa y nos motiva intrínsecamente, mientras que las decisiones laborales no siempre se basan en lo que más queremos hacer. Lo que para ti es jugar, podría no serlo para mí, y viceversa. Por lo tanto, se puede saber mucho sobre una mujer por las actividades que practica como un juego e incluso por su decisión de jugar o no. El juego es una receta para la felicidad, por lo siguiente:

- Le da un descanso a tu mente, porque te saca del estresante mundo de la productividad y los resultados, y te introduce al mundo de la pura experiencia.
- Jugar es un medio para la expresión personal.
- Cuando juegas con otras personas, se genera una conexión y un vínculo genuinos.
- Despeja tu mente, porque te libera del estrés de los problemas cotidianos y te permite enfocarte totalmente en la actividad que estás realizando.
- Puede volver a conectarte con tu misma esencia: tus dones, tu pasión y tus talentos.
- ¡Jugar es divertido!

Tipos de juego

El Instituto Nacional del Juego, fundado por el investigador y Dr. Stuart Brown, describe siete "patrones de juego".[2] Este podría ser un recurso útil para ti si quieres incorporar más juego a tu vida.

Juegos de sincronización

Estos son juegos de interacción, como los que experimenta una madre y su bebé. La madre hace contacto visual con su bebé y este responde con una sonrisa. La madre le devuelve la sonrisa y el bebé arrulla. Hay una secuencia rítmica, y una resonancia magnética mostraría que la corteza cerebral derecha se está "sincronizando" en el cerebro del bebé así como en el de la madre.

2. Stuart Brown, "Play Science—The Patterns of Play", sitio web del Instituto Nacional del juego, www.nifplay.org.

Juego y movimiento del cuerpo

Brincar, bailar y cualquier otro tipo de movimiento es una forma de juego. Estimula el cerebro y facilita el aprendizaje.

Juego con objetos

Este tiene que ver con usar objetos como el enfoque del juego, y tiende a despertar la curiosidad. Ya sea una niña que juega con su muñeca o salta la cuerda con sus amigas o un adulto que juega al billar o una mujer que hace bisutería por diversión, el juego con objetos ayuda a desarrollar el cerebro.

Juego social

Desde el juego de manos y cosquilleo hasta la interacción de un diálogo divertido, el juego social tiene que ver con una comunicación y un sentido de pertenencia.

Juegos de imaginación y fantasía

Los niños son buenos para la fantasía. Pueden pasarse horas inventando historias con sus personajes de juguete. Tener capacidad para la imaginación puede ayudarte mucho como adulta cuando contemplas posibilidades, juegas con tus hijos o te permites cantar sobre una pista de karaoke como si fueras una súper estrella.

Juegos de narración

En la primera infancia, la narración de cuentos es una herramienta clave para aprender y entender el mundo y cómo funciona. Pero relatar historias y desarrollar una narrativa sobre tu vida, especialmente una que incluya un lado humorístico, puede ser una poderosa forma de juego.

Juegos creativos

Yo lo denomino juegos de estilo libre. Ya sea que uses tu creatividad para tocar música, pintar, sacar fotos o para los juegos de mesa, el juego creativo te permite salir de lo común y corriente.

Aprender a jugar

Desearía poder decirte que jugar es mi fuerte. Me encanta, pero tengo que acordarme de jugar. De otra manera, se impone mi lado serio. Incluso tengo un sentido de humor tan seco, que en ocasiones las personas no se dan cuenta de que estoy haciendo una broma. Recuerdo una vez el gran entusiasmo de mis padres al verme saltar por toda la habitación de un hotel cuando tenía alrededor de siete años. No estoy segura de lo que me llevó a hacer eso; tal vez estaba excitada por nuestra mudanza a Alemania. Acabábamos de llegar a ese país y, dado que todavía no teníamos una vivienda, estábamos alojados en un hotel. Cuando empecé a saltar espontáneamente por toda la habitación, ambos se miraron con sorpresa, como si dijeran: "¡Ah! ¡Realmente *es* una niña! ¡Mira cómo juega!". Hicieron tanto aspaviento, que pensé que debería saltar de vez en cuando para conformarlos.

Su sorpresa estaba bien fundamentada. Mi madre siempre cuenta la historia de una visita a *Disney World* con familiares y amigos. Yo tenía unos cinco años y era la única niña que no se entusiasmaba cuando veía pasar al ratón Mickey y sus amigos. Al parecer, los demás niños empezaban a saltar y gritar: "¡Mami, es el ratón Mickey! ¡El pato Donald! ¡Papi, mira!". Por el contrario, yo no les creía y, ante los intentos de Mickey y sus amigos imitadores de hacerme creer que eran reales, decía a mí mamá: "Ese no es Mickey. ¡Mira sus piernas! ¡Son *las de una persona*! ¡Ese no es el verdadero Mickey!". Todavía era una niña y creía que Mickey era un ser vivo, pero ¿ese personaje de Disney que estaba frente a mí? Ese *era falso*.

Pensar demasiado limitará tu capacidad de jugar.

Para algunas mujeres, jugar es natural, pero otras tienen que aprender a jugar. De hecho, si eres madre, te animo a dejar que tus hijos jueguen. Anímalos a jugar. Juega con ellos. Dales el ejemplo y permite que te vean divertirte y hacer boberías de vez en cuando. En vez de tomar todo muy en serio, haz bromas con ellos. Ríete de ti misma cuando te equivocas. Déjales ver tu lado alegre y considera la posibilidad de inscribirlos en un equipo de deportes u otra actividad donde puedan aprender a jugar con otros.

Haz algo que te haga feliz (No tienes que ser buena en eso)

Lo mejor del juego auténtico es que no se trata de hacerlo bien, sino de divertirse. Tiene que ver con la experiencia. Así que, vamos, haz algo. Empieza a pintar. Nadie dijo que tienes que ser Picasso. ¡Pinta mal y diviértete!

No puedes formar parte del coro de la iglesia, pero ¿te gusta cantar? No te reprimas. ¡Canta! Canta a voz en cuello. Disfrútalo. Diviértete.

No tienes sentido del ritmo, pero ¿te gusta bailar? No hay problema. Baila con toda tu alma. ¡Exprésate a través del baile!

Jugar tiene que ver con expresión, no con juicio. Investigaciones revelan que jugar y expresarse, como en el canto, puede tener beneficios saludables. Un estudio de 1998 indicó que los residentes de un hogar de ancianos, que participaron de un programa de canto durante un mes, experimentaron una disminución de ansiedad así como de depresión. Cantar puede tener efectos psicológicos similares al ejercicio, tales como la liberación de endorfinas y el aumento de la circulación sanguínea, lo cual también mejora el estado de ánimo.

De hecho, las seis actividades que más felicidad provocan, según el investigador George MacKerron de la Escuela de Economía de Londres, son:

1. Hacer el amor
2. El deporte y el ejercicio
3. El teatro, el baile, los conciertos
4. Cantar y actuar
5. Las exposiciones, los museos, las bibliotecas
6. Los pasatiempos, las artes, las manualidades[3]

La investigación de MacKerron usó una aplicación de iPhone que convocaba a participantes al azar a tomar una breve encuesta sobre su felicidad y lucidez dos veces a lo largo de cada día. El estudio incluyó más de tres millones de puntos de datos y 45.000 participantes. Aquellos que respondían durante o inmediatamente después de una actividad estaban marcadamente más felices que aquellos que no estaban realizando ninguna actividad. Si eran particularmente buenos o no

3. George MacKerron y Susana Mourato, "Happiness Is Greater in Natural Environments", *Global Environmental Change* (20 de mayo, 2013), doi: 10.1016/j.gloenvcha.2013.03.010.

en la actividad era irrelevante. Lo significativo era que participaban de alguna actividad.

Yo juego al tenis. No juego bien, pero me encanta. En mi vida, solo he tenido tres compañeros de tenis: todos tan malos como yo. De esa manera, puedo divertirme y nadie se frustra. Mi primera pareja de tenis, Mike, era un compañero cadete de mi primer año en la Academia de las Fuerzas Aéreas de los Estados Unidos. Me ingresaron al equipo de tenis después de una breve temporada (tres semanas) como delantera en el equipo de rugby femenino. Seguramente, fue bueno que dejara el equipo, porque ganaron el campeonato de la Asociación Nacional Atlética Colegial ese año, y creo que no hubiera sido posible con la cadete Burton de 1,60 m de estatura y 50 k de peso, que nunca había participado de ningún deporte que se jugara con una pelota. No tenía la mínima idea de lo que estaba haciendo y no me gustaba que me taclearan, pero el compañerismo era magnífico.

De todas maneras, seguí adelante. En la academia tienes que practicar un deporte, y a Mike y a mí nos colocaron en el equipo de tenis. Ninguno de los dos había tomado jamás una clase de tenis, y se notaba. Sin embargo, nos divertíamos, y frustrábamos a la otra pareja de dobles que quería un buen partido. Desdichadamente para ellos, no lo iban a tener con nosotros.

Siete años después, tomé clases de tenis y conocí a una nueva amiga, que se llamaba Margaret. Jugábamos siempre entre nosotras y nada más que entre nosotras; teníamos demasiada compasión para someter a nuestros compañeros de tenis a nuestras habilidades de novatas. Ella trabajaba en relaciones públicas, igual que yo en aquel entonces. Manteníamos conversaciones interesantes y teníamos una buena excusa para vestir un bonito atuendo de tenis. (Pienso que no tiene nada de malo elegir tu deporte con base en el atuendo. Un atuendo jovial te anima a divertirte más. No he realizado ninguna investigación sobre esta teoría, es solo una apreciación personal).

Años más tarde, retomé la práctica del tenis y jugué con mi amiga y vecina Cheryl. Nos gustaba jugar en la cancha que quedaba cerca de casa. Empecé a mejorar un poco, pero, sinceramente, no juego al tenis para ganar partidos. Ni siquiera espero "ganar". No compito, solo juego. Disfruto realmente al correr por toda la cancha para devolver una pelota. No me preocupa jugar mal. Prefiero ser buena para muchas otras cosas que considero importantes; pero, aun así, es bueno hacer algo sin la presión de tener un buen desempeño, de ganar y jugar con elegancia. El único objetivo es disfrutar.

¿Y tú? ¿A qué jugarías si no tuvieras que ser "buena" en ello? Ya sea que se trate de las artes, la música o el deporte, juega por pura diversión.

¿Cuál es tu pasatiempo?

Una de las maneras más fáciles de incorporar el juego a tu vida diaria es tener un pasatiempo. ¿Tienes uno? ¿Cuándo fue la última vez que lo practicaste? A mí me encanta hacer bisutería y maquillajes. Son pasatiempos femeninos, lo sé, pero me gustan. Un día me di cuenta de que me gustaba maquillarme, especialmente cuando tengo tiempo de sobra. Tengo muchísimos productos cosméticos. Me compro libros de artistas maquilladores y me fascina lo que hacen. Primero aprendí a maquillar en los desfiles que hacíamos en la adolescencia. En ese entonces me encantaba y, aunque hoy no soy una adolescente, me sigue divirtiendo jugar con el maquillaje. Creo que es una forma de arte, como la pintura o el dibujo. Solo que el lienzo eres tú.

De modo que, cuando tengo tiempo, juego. Pruebo nuevos colores. Sigo los pasos de uno de mis libros de maquillaje. Y, cuando termino, me lo quito. Solo lo hago para divertirme. Tu pasatiempo puede ser solo tuyo, siempre y cuando te cautive, te dé alegría y no sea un "trabajo" para ti.

El trabajo como un juego

Como mencioné anteriormente, en una cultura que ha desarrollado una idea negativa sobre el juego como una actividad "improductiva", sugerir que podemos tomar el trabajo como un juego podría parecer irracional. Sin embargo, hay personas para quienes el trabajo realmente es un juego. Aman tanto lo que hacen, que lo harían gratis. Un amigo que empezó una línea de ropa exitosa en la década de 1990 siempre describía su trabajo como un juego. "Yo no trabajo —me decía—. Yo juego". No quiere decir que no haya vencimientos a cumplir y estrés, pero sentir que la actividad central de tu trabajo es como un juego transformará tu vida.

Según investigaciones realizadas por la agencia Gallup, aquellos que disfrutan un alto nivel de bienestar profesional y aplican cada día sus puntos fuertes tienen el doble de posibilidad de tener un alto nivel de bienestar en su vida en general.[4] De modo que, si para ti el trabajo no es un juego y quieres que lo sea, te animo a pensar en este concepto. ¿Cómo podrías sentir que tu trabajo es como un juego? ¿Qué cambios deberías hacer?

¡Practica esta receta para la felicidad!

- Anímate a jugar a algo aunque no seas buena para eso, solo hazlo porque te gusta. ¡Canta, baila, toca la guitarra, juega al golf! Hazlo por puro placer.
- Prioriza el tiempo para jugar. Valora la "experiencia" de jugar sin la presión de lograr ciertos resultados o ser productiva.
- Relájate y diviértete... cuando converses con otros, en tus relaciones y en la vida.
- Practica un pasatiempo con regularidad. Si no tienes ninguno, busca algo que te agrade hacer.

4. Tom Rath, *La ciencia del bienestar: Los 5 elementos esenciales* (Barcelona: Editorial Alienta, 2011).

TEMA DE CONVERSACIÓN

Seis clases de amigas que necesitas

Reflexion personal

- Estudios revelan que es buena idea tener varias clases de amigos en vez de depender de uno o dos que suplan todas tus necesidades.
- Según las estadísticas, es probable que la relación con tus amigas perdure más que la de tu matrimonio, tus padres y tus compañeras de trabajo.
- Un estudio indicó que cuando había menos del 15% de las mujeres de una empresa en posiciones de poder, estas eran competitivas y hablaban mal las unas de las otras. Pero cuando las mujeres representaban más del 15% de las posiciones de poder, estas colaboraban unas con otras.

Preguntas para iniciar el diálogo

- ¿Cuentas con una sola buena amiga? ¿Cuánto te llevaría cultivar algunas relaciones cercanas más?
- ¿Por qué piensas que algunas mujeres son competitivas entre ellas, pero no con los hombres?
- ¿Qué puedes hacer para que otras mujeres se sientan bien y puedas tener relaciones más auténticas con mujeres de tu círculo de influencia?

¿Tienes la combinación justa de amigas?

No todas las amigas pueden suplir todas las necesidades. Algunas suplirán más de una necesidad, ¡pero pocas podrán suplirlas todas! Estas son las seis clases de amigas que cada mujer necesita:

La amiga sabia. Puedes confiar en que ella te ayudará a recapacitar cuando estés por hacer algo de lo cual te podrías arrepentir. Te ayudará a resolver tu dilema más reciente y te dará el consejo más atinado para casi cualquier situación.

La amiga divertida. ¿Quieres pasarla bien, lanzarte a la aventura o reírte hasta que te duela el estómago? Siempre podrás contar con ella.

La amiga trotamundos. Esta amiga no monta escenas. Se adapta a todo, es aventurera y le gusta descubrir el mundo.

La consejera relacional. Es transparente, genuina y dispuesta a escuchar. Esta amiga ha aprendido algunas cosas sobre el amor y desea genuinamente verte feliz en tu vida amorosa.

La colega profesional. Tiene tu mismo trasfondo y tus mismas metas laborales, y se pueden animar una a la otra a alcanzar un mayor éxito profesional.

La amiga mentora. Para maximizar tu potencial, esta es la amiga que te ayudará a mantenerte en la dirección correcta.

Ahora cambia de posición. Piensa en tus amigas cercanas. ¿Qué clase de amiga eres tú para ellas?

RECETA PARA LA FELICIDAD #9

Relajarse

Por qué las mujeres se preocupan más que los hombres... y qué puedes hacer al respecto.

Decisión:

"Me propongo dormir, descansar y aceptar las cosas como son".

Era la noche anterior a la cirugía correctiva a corazón abierto que le harían a mi padre. Me había quedado a dormir en su casa para poder llevarlo al hospital a primera hora de la mañana siguiente. Varias semanas antes, durante un examen médico de rutina, los médicos habían encontrado algunas irregularidades en los latidos de su corazón y le recetaron otras pruebas, donde descubrieron que, aunque sus arterias estaban en "perfecta condición", una de ellas no estaba bien ramificada. ¡No se dirigía al sitio correcto! Asombrados por su longevidad, le dijeron que su extraña condición podría haberle cobrado la vida cuando era niño. Era un milagro incluso que hubiera practicado deportes desde niño y hubiera servido en el ejército durante casi un cuarto de siglo. Para asegurarle una mayor esperanza de vida, debían someterlo a una cirugía para corregir el problema.

Nos dieron un DVD sobre el procedimiento, que miré atentamente en la víspera del día de su intervención quirúrgica. ¡Verlo causaba espanto! Tenían que detener su corazón y perforar su esternón con una sierra especialmente diseñada para ello. Como una hija responsable, pensé que sería una buena idea mirar el video, pero, en realidad, me hizo preocuparme incluso más.

Salí de mi habitación y fui a la sala para ver cómo se sentía mi padre.

—Hola, papi —le dije tratando de parecer perfectamente relajada—, ¿cómo te sientes con todo esto?

—Bueno, como te comenté antes —dijo con un tono pragmático—, no creo que Dios me haya permitido vivir hasta hoy con un defecto cardíaco para llevarme ahora que los médicos lo descubrieron y se preparan para corregirlo.

—Y tú entiendes lo que van a hacer mañana, ¿verdad? —dije pensando en la seriedad de la cirugía que acababa de ver en el video.

—Sí, sí que entiendo —contestó.

—Mira, acabo de ver el video. ¿Sabías que van a detener tu corazón y van a perforar tu…? —empecé a decir.

—Lo sé, lo sé —me interrumpió a mitad de oración—. No necesito pensar en todo eso. Todo lo que sé es que la cirugía va a salir bien.

Con esa respuesta, dejé de hacer preguntas y me fui a dormir. Él estaba tranquilo. Yo no. Hace tres semanas, cuando nos informaron que debía someterse a una operación quirúrgica, empecé a imaginar el peor escenario posible. Él no lo sabía, pero yo recordaba con cariño todas las maravillosas conversaciones que habíamos tenido desde niña y pensaba en la posibilidad de que quizás no las volveríamos a tener. Pensaba en mi reacción si la cirugía fallaba. Me preguntaba cómo podían los médicos detener el corazón de una persona y bombearlo otra vez. Imaginaba que los médicos podían olvidarse de hacer algo clave o incluso equivocarse.

¿Comprendes? Me dejé vencer por mi imaginación. Yo estaba preocupada. Mi papá no.

Las mujeres se preocupan más

Las investigaciones revelan que las mujeres se preocupan más que los hombres, aun en la misma situación.[1] Y la preocupación afecta la felicidad.

Los hombres saben separar las cosas en su mente. Pueden discutir en la mañana, pero se enfocan completamente en el trabajo durante el día y resuelven el altercado cuando salen del trabajo. No es así para la mayoría de las mujeres. Una discusión por la mañana nos arruinará todo el día. Y ni hablar de una pareja que tiene una riña por la noche.

1. . Andrea Thompson, "Why Women Worry So Much," *Live Science*, 28 de septiembre, 2007, http://www.livescience.com/9535-women-worry.html.

El marido dice: "Terminemos esta conversación mañana", mientras que su mujer quiere seguir hablando hasta resolver el problema. Ella le responde: "¿Cómo me puedo ir a dormir con esto en mi mente?", pero él se da media vuelta y se duerme mientras ella sigue despierta analizando cada palabra de la conversación y se enoja cada vez más mientras él ronca fuerte a su lado.

La ansiedad ha alcanzado un punto récord en los Estados Unidos. Según el Instituto Nacional de Salud Mental, más del 28% de los norteamericanos adultos tiene un trastorno de ansiedad, y las mujeres son 60% más propensas a tener dicho trastorno. Curiosamente, los científicos dicen que las mujeres —desde niñas en edad preescolar hasta mujeres ancianas— suelen preocuparse más asidua y profundamente que los hombres. Las mujeres también tienden a percibir más el riesgo en cualquier situación y a estar más ansiosas que los hombres.

Los investigadores explican algunas razones que hacen a las mujeres preocuparse más. La primera es que, en general, las mujeres tienen mayor inteligencia emocional que los hombres. En realidad, sentimos cada emoción con mayor intensidad, ya sea que se trate de una emoción de vértigo o ansiedad. Se cree que las hormonas reproductivas como el estrógeno y la progesterona juegan un papel importante en la ansiedad, y estas hormonas se encuentran en mayores concentraciones en las mujeres. Finalmente, según dos estudios realizados por investigadores de la Universidad de California en Davis, somos más propensas a creer que las experiencias del pasado determinan el futuro. De modo que, si sabemos que una situación similar en el pasado tuvo un resultado negativo, tendemos a creer que volverá a ocurrir lo mismo.

En función de esta línea de pensamiento, se puede decir que mirar los noticieros informativos o la repetición de las noticias policiales puede producir más ansiedad en las mujeres que en los hombres. Con una cultura de medios informativos que cada vez difunden más imágenes y hechos negativos no es de extrañarse que las mujeres se preocupen.

¿Las mujeres de hoy tienen más de qué preocuparse que las de 1972?

Volvamos al estudio original, que afirma que las mujeres de hoy son menos felices que las mujeres de los comienzos de la década de 1970, mientras que los hombres son cada vez más felices. Si realmente es verdad que las mujeres se preocupan más, es justo decir que las mujeres de hoy tienen mucho más de qué preocuparse. Hace cuatro décadas, una minoría de mujeres trabajaba fuera del hogar. Hoy día, la mayoría lo hace, y eso conlleva un sinfín más de responsabilidades. Las mujeres se sienten presionadas a cumplir con expectativas más altas y se sienten culpables si no las logran. ¿Estás haciendo todo lo que debes hacer? ¿Eres suficientemente buena, atractiva, saludable o inteligente? Sumado a ello, están las preocupaciones nacionales e internacionales que bombardean las noticias, como el terrorismo, el calentamiento global, los desastres naturales y la inestabilidad económica. Aunque no pases mucho tiempo pensando en estas cosas, de todas maneras es un tema de conversación nacional.

Además es innato en las mujeres velar por la vida de otros. Nos sentimos más responsables de los demás. En el mundo de hoy, las mujeres tienen un mayor círculo de amistades y conocidos por los cuales preocuparse. Hoy día no estamos en contacto solo con familiares y vecinos, sino también con compañeros de trabajo. A través de las redes sociales es posible estar en contacto con muchas más personas que hace cuarenta años. Y con los ciclos de noticias que se difunden las 24 horas del día, las noticias de Internet, las aplicaciones de los teléfonos inteligentes y la exposición a cien canales más que las mujeres de 1972, ahora estamos más al tanto de lo que sucede en el mundo.

Justo hace poco borré una aplicación de un medio de comunicación nacional respetable, porque bombardeaba mi teléfono todo el tiempo con "noticias de última hora". Cada dos horas me llegaban alertas informativas en mensajes de texto. ¿El problema? No solo eran noticias de última hora, sino que, a menudo, eran noticias deprimentes. Así que podía estar disfrutando de un buen momento cuando me sonaba un alerta en mi teléfono para informarme sobre alguna mala noticia. Yo no lo necesito, y tú tampoco.

En medio del caos, relájate

No puedes impedir los cambios de la vida, pero puedes controlar de qué manera respondes a ellos. No importa cuánta responsabilidad tengas o cuán sobrecargada o abrumada te sientas, la relajación puede generar emociones positivas y felicidad. Además, tiene una ventaja: la productividad. Un artículo del *New York Times* titulado: "¡Relájate!

Serás más productivo" señala que cada vez son más las investigaciones que muestran que una "renovación estratégica", como una breve siesta, más horas de sueño por la noche, más vacaciones y más tiempo fuera de la oficina, incrementan la productividad, el trabajo, el rendimiento y la salud. Por lo tanto, es esencial que aprendas a relajarte y a incorporar hábitos de relajación a tu estilo de vida. Estas son algunas maneras de hacerlo:

1. Respira. Respirar hondo reduce la frecuencia cardíaca, disminuye la presión sanguínea y te hace sentir más relajada.
2. Confía. Uno de mis versículos favoritos de la Biblia es Romanos 8:28: "Ahora bien, sabemos que Dios dispone todas las cosas para el bien de quienes lo aman, los que han sido llamados de acuerdo con su propósito". Cuando empiezo a preocuparme por cosas que no están saliendo como quisiera, pienso en este versículo. Sin confiar en Dios es imposible relajarse.
3. Deja de ser perfeccionista. Pocos hábitos sabotean tu capacidad de relajarte y disfrutar de la vida como el perfeccionismo. Cuando eres perfeccionista, nada está como debería estar y, aunque en ese momento lo esté, te preocupas por si deja de estar así. Permítete ser humana y deja que los demás también lo sean. Deja de ser perfeccionista.
4. No uses las noticias informativas como un entretenimiento. En realidad, deberían llamarse "malas noticias". No estoy diciendo que no deberías mirar los noticieros informativos. Es importante estar al tanto de lo que sucede en el mundo, pero no lo hagas de manera excesiva. Estar pendiente de los pronósticos y los rumores que llenan gran parte de los noticieros puede incrementar tu nivel de estrés e incluso alterarte y ponerte nerviosa.
5. Duerme. Es un hecho innegable; necesitas dormir ocho horas, siete como mínimo. Dormir menos o bastante más puede tener un efecto negativo en el estado de ánimo, así como en la lucidez mental, en el peso y en el sistema inmunológico (en breve ahondaremos más al respecto). Investigaciones revelan que el sueño actúa como un botón de reinicio que elimina el estrés del día anterior. Te ofrece un nuevo comienzo. Sin embargo,

cada vez dormimos menos horas. ¿Puede esto contribuir también a la disminución de la felicidad femenina? Una encuesta de la Fundación Nacional sobre el Sueño (FNS) descubrió que las mujeres entre treinta y sesenta años de edad duermen un promedio de 6 horas y 41 minutos cada noche de lunes a viernes. Un estudio de la FNS reveló que las mujeres son más propensas a tener problemas para conciliar el sueño y quedarse dormidas, y durante el día tienen más somnolencia que los hombres.

6. Descansa. El cerebro necesita descansar. Al parecer, trabajar en intervalos de 90 minutos es más productivo que trabajar sin hacer ninguna pausa. De modo que tómate un descanso cada 90 minutos. Serás más productiva y experimentarás menos estrés si haces una pausa de descanso. Cuanto más trabajes para alcanzar las metas laborales, menos energía tendrás. Es más productivo tomarte un descanso y recargarte de energía para evitar la denominada "fatiga de las metas".
7. Tómate vacaciones y no hagas nada. El artículo del *New York Times* se refirió a un estudio que la firma contable Ernst & Young hizo con sus empleados. Descubrieron que por cada diez horas adicionales de vacaciones que un empleado se tomó, su índice de rendimiento anual mejoró un 8%. Aquellos que se tomaban más días de vacaciones y más frecuentes eran mucho menos propensos a irse de la compañía. Un cambio de paisaje y un descanso de tus responsabilidades cotidianas es un ingrediente importante para la felicidad.
8. Tómate unas vacaciones caseras. ¿Cuándo fue la última vez que tuviste la oportunidad de no hacer nada? ¿Por qué no tomarte un día libre o dos o incluso una semana para hacer precisamente nada? Me refiero a crear una expectativa y una oportunidad para relajarte. Vale la pena hacerte el hábito de esta simple práctica.
9. Medita en las cosas buenas, no en las malas. Preocuparse es meditar... en todo aquello que puede salir mal. En cambio, medita en lo que puede salir bien, en lo que está bien y en las cosas buenas.

10. Pide ayuda. Puede que te estés preguntando cómo vas a encontrar tiempo para tomarte vacaciones, meditar o relajarte, cuando tienes que cuidar de tus hijos o atender una empresa. Buena pregunta. Tu solución podría ser pedir ayuda. ¿Quién puede ayudarte a tomar un descanso? Pide ayuda, aunque sea por una hora o una tarde. Luego tómate tiempo para relajarte.

¿Estás durmiendo lo necesario para ser feliz?

¿Te despiertas de mal humor? ¿Eres de aquellas personas que no se levantan hasta la quinta vez que suena la alarma del despertador? Según una encuesta de la Universidad de Duke, las mujeres se despiertan mucho más malhumoradas que sus homólogos masculinos. De hecho, la investigación sugiere que las mujeres necesitan dormir mucho más que los hombres y sufren más mental y físicamente si se les priva de horas de sueño. Según el Centro para el Control de Enfermedades, las mujeres son un 50% más propensas a sentirse cansadas o agotadas. Curiosamente, entre las parejas, los hombres son más propensos a molestar el descanso de su pareja (posiblemente con sus fuertes ronquidos, ¿verdad?).

Parece ser que la falta de sueño también puede producir en las mujeres mayor riesgo de sufrir enfermedades cardíacas, depresión y problemas psicológicos. Por el contrario, la salud de los hombres parece depender mucho menos de cuán bien duermen. De hecho, los hombres con problemas para dormir no mostraron mayor riesgo en las condiciones que estaban afectando a las mujeres.

Si solo duermes cinco o seis horas durante la noche, haz una "siesta estratégica" durante el día. Pero determina a consciencia cuánto dormirás. Duerme o bien 25 minutos, o bien 90. Cualquier lapso de tiempo intermedio te dejará más aturdida, no menos.

La relajación es mayormente mental. Por lo tanto, a la hora de relajarte hay otras estrategias a considerar relacionadas con tu manera de ver la vida en general. Muchas de las mujeres que entrevisté mientras escribía este libro tenían el sentimiento constante de que les faltaba algo. De alguna manera perdieron el tren de la vida o deseaban hacer otra cosa o necesitaban tomar una decisión. Estaban dando vueltas en un ciclo infinito en el que afirmaban: "El día que logre tal o cual cosa seré feliz". Las estrategias siguientes tienen que ver con aprender a "ser feliz mientras esperas que llegue ese momento".

- Acepta las cosas como son.
- Relájate al tomar decisiones.
- Vive en esta etapa, no en la siguiente.

Acepta las cosas como son

¿Cómo puedes aceptar "las cosas como son"? Consumes mucha energía cuando tratas de cambiar *lo que es. La realidad* es inevitable. Es aquella situación que desearías que no existiera. Preferirías que las cosas fueran de otra manera: que otra persona fuera tu jefa o que tu esposo no tuviera ese mal hábito. Desearías no haber tenido ese contratiempo en tu carrera o tal vez podrías tener que aceptar un divorcio que nunca quisiste, un problema de salud que te aqueja o tu vida que no está saliendo como planeaste.

Cuando te resistes a aceptar las cosas como son, vives en un estado de negación y ansiedad. Gastas energía en tratar de controlar cosas que no dependen de ti. Pasas días y horas pensando en por qué las cosas no deberían ser así. Te frustras. Te enojas. Puede que incluso ocultes la realidad para no tener que enfrentarla. En vez de manifestar tu decepción, te la guardas para ti. Puede que incluso te propongas demostrar lo que en realidad no es. En vez de idear un plan para reencauzar tu carrera, finges que todo está bien. En vez de aprovechar al máximo la vida que tienes por delante, pierdes energía al lamentarte por las cosas que tú crees que no son como deberían ser. En vez de aceptar a un ser amado tal cual es, gastas energía en tratar de hacer que cambie. Básicamente, nunca te relajas. Siempre estás viviendo en un estado de espera hasta que las cosas sean como tú quieres.

¿Por qué no empiezas a rechazar lo inevitable y a confiar en tu capacidad de manejar la realidad? ¿Qué harás diferente? Cuando hagas ese cambio, sentirás que te liberas de una carga pesada sobre tus hombros. Sentirás que tu vida es auténtica. Y permíteme ser clara: al principio, te dará miedo, pero, si aceptas la realidad —si realmente aceptas tu situación—, podrás relajarte y empezarás a encontrar valor para enfrentar tus mayores temores. Finalmente, podrás seguir adelante y vivirás de manera auténtica, no con negación o temor, sino con aceptación, fe y amor. Entrégale tus cargas a Dios y confía en que Él hará que todas las cosas sean para tu bien.

¿Cómo son "las cosas" en tu vida en este momento?

___

___

___

___

¿Qué realidad te cuesta aceptar?

___

___

___

___

¿Cómo puedes aceptar *las cosas como son*?

___

___

___

___

Relájate al tomar decisiones

¿Tienes paz? Es una pregunta simple, pero, muchas veces, ante una decisión, no nos hacemos esta pregunta. Sin duda, la lógica es un elemento importante a la hora de tomar una decisión, pero también lo es la intuición. En vez de ignorarla o considerar que es irrelevante, tenla en cuenta. La paz es como un sistema de GPS que te guía en la dirección correcta. Muchas veces, aunque el sistema parezca que te está llevando por un desvío, en realidad, te está ofreciendo un atajo y te está ahorrando tiempo y energía al evitarte un embotellamiento de tráfico de confusión, malas decisiones o cosas aun peores. En medio de situaciones turbulentas, Dios puede darte paz sobre una decisión particular que debes tomar en medio de la tormenta. Sentirás paz, aunque todo a tu alrededor se esté derrumbando. La capacidad de relajarte en medio de la tormenta, de encontrar gozo a pesar de tus preocupaciones, la encontrarás en la paz.

Si eres sincera, seguramente te has sentido obligada a tomar algunas decisiones sin tener paz. ¿Por qué? Quizás por temor a que, si ahora no tomas una decisión, después no recibirás lo que deseas. Ese temor te lleva a querer controlar todas las cosas, es decir, ver todas las piezas del rompecabezas. No confías en las que no puedes ver.

Tal vez temes que tu intuición esté equivocada. La dudas te dicen: "¡No puedes escuchar a Dios! No seas ridícula". De modo que, en vez de confiar en tu discernimiento, sigues adelante con la duda de que algo no está del todo bien. El temor siempre apaga la felicidad. Proverbios 22:3 promete: "El prudente ve el peligro y lo evita; el inexperto sigue adelante y sufre las consecuencias".

El temor se manifiesta también de las siguientes maneras a la hora de tomar decisiónes:

Impaciencia

¿Has tomado alguna vez una decisión por impaciencia? Estás cansada de esperar, así que sigues adelante con tu decisión. Ya sea en una decisión simple de la vida cotidiana o en una más importante como con quién casarte o qué carrera elegir, relájate. Opta por la paz y sé paciente. La verdadera paciencia no tiene que ver con la *espera en sí*, sino con *la manera de esperar*. Si crees que solo serás feliz cuando tengas lo que quieres, la impaciencia te hará forzar las cosas fuera del tiempo de Dios.

Confianza

La confianza te permite relajarte. En este momento estoy sentada en una silla, totalmente relajada. Confío en que la silla puede sostenerme y en que el piso puede sostener la silla. No lo pongo en duda ni por un segundo. Pero si no confiara en que esta silla es bastante fuerte o si pensara que el piso está por colapsar, no podría relajarme al estar sentada aquí. De la misma manera, si confías en Dios, puedes relajarte. Si sabes que estás en sus manos, nunca podrás caer. La falta de confianza en la obra de Dios en tu vida aparece cuando tomas decisiones sin tener paz. Confía en Él. Si lo haces, la paz superará tu impaciencia.

Entendimiento

Algunas mujeres insisten en querer entender las cosas. Proverbios 3:5 afirma: "Confía en el Señor de todo corazón, y no en tu propia inteligencia". En otras palabras, no trates de prever, deducir y racionalizar las cosas para tomar la decisión correcta. Pensar demasiado es una receta para la infelicidad.

Ante una decisión importante, el camino de la paz siempre es la respuesta, pero se requiere de sabiduría y discernimiento espiritual. Relájate, tranquilízate, respira hondo, escucha y luego pregunta: "¿Cuál de las decisiones que debo tomar me da paz?".

Vive en esta etapa, no en la siguiente

Tú y yo probablemente estaríamos de acuerdo en que usar un abrigo de lana en verano o shorts y sandalias en una tormenta de nieve sería una locura. La gente incluso podría cuestionar el estado de nuestra salud mental. Pero, cuando somos impacientes, parece suceder algo extraño. Aprender a relajarte en la etapa actual de tu vida mientras, a la vez, te preparas para la siguiente requiere de confianza, paciencia y sabiduría. Si la etapa en la que te encuentras profesionalmente tiene que ver con aprender y crecer para poder poner un fundamento para el futuro, no pierdas este valioso tiempo frustrada, porque el futuro todavía no ha llegado. Si lo haces, perderás la oportunidad de aprender lecciones importantes e incluso otras oportunidades que llegarán después que aprendas esas lecciones. Perderte esta etapa podría significar no estar bien preparada para la siguiente.

Reconoce en qué estación de tu vida estás. Vístete para ella y acéptala. Esto te evitará bastante ansiedad y te ayudará a relajarte en vez de pasar el tiempo frustrada. ¿Por qué siempre queremos estar en otra etapa de nuestra vida y hacemos cualquier cosa para avanzar? Muchas veces es porque no confiamos en el proceso. Pensamos que Dios no tiene idea de nuestra vida y que tenemos que ayudarlo. No entendemos que avanzar es un proceso no siempre oportuno y rápido. Sin embargo, cuando realmente confías en que Dios te tiene en la palma de su mano, puedes relajarte incluso en la etapa más tormentosa. Es temporal. Las etapas siempre lo son. Algunas son más largas que otras, pero finalmente pasan.

¿De qué manera estás insistiendo en que las cosas sean diferentes para poder ser feliz? ¿De qué manera estás usando un abrigo de lana en el calor del verano? Tal vez esta no sea una etapa de tu vida para gastar mucho, sino para tener dominio propio y ahorrar. Puede que esta etapa no sea para estar en una relación. Tal vez Dios te está llamando a sanar y a estar quieta en su presencia antes de volver a enamorarte. No sé qué significa esto para tu vida, pero tú sí. Sé feliz en esta etapa. Cada una tiene un propósito, así que no la juzgues. Simplemente proponte aprender de ella y ser feliz.

¿En qué etapa de tu vida te encuentras?

____

____

____

____

¿De qué manera estás intentando avanzar a la siguiente etapa y te resistes con impaciencia a lo que es inevitable?

____

____

____

____

¿Cómo puedes relajarte y ser feliz mientras esperas la etapa que tanto anhelas?

____

____

____

____

¡Practica esta receta para la felicidad!

- Tómate un descanso cada 90 minutos.
- Respira hondo.
- Apaga el noticiero informativo y todo aquello que no te transmita paz.
- ¡Prográmate unas vacaciones en casa para no hacer absolutamente nada!
- Deja de preocuparte por las decisiones y permite que la paz te guíe.
- No combatas lo inevitable, sino acepta las cosas como son.
- Decide ser feliz mientras esperas la próxima etapa de tu vida, en lugar de esperar que llegue para ser feliz.

TEMA DE CONVERSACIÓN

Relájate. ¡No hay nada que resolver en tu vida!

Por qué no deberías tratar de cambiar las cosas sino empezar a aceptarlas "como son".

Reflexión personal

- Confiar en Dios no significa confiar en que Él hará lo que le pediste. Significa confiar en Él sin importar lo que haga.
- Hasta que aprendas a ser feliz sin aquello que anhelas, no serás feliz cuando lo tengas. La rutina hedonista te asegura que buscarás otra cosa que crees necesitar para ser feliz.

Preguntas para iniciar un diálogo

- ¿Qué circunstancias has estado tratando de cambiar en tu vida?
- ¿De qué manera sientes que has "perdido el tren de tu vida" y debes recuperar el tiempo perdido?
- ¿Cómo puedes entregar tus deseos a Dios y confiar en su voluntad para ti?

Orar en voz alta cuando estoy sola no ha sido tradicionalmente un hábito en mí, pero una mañana, unos meses antes de cumplir cuarenta años, pensé: *¿Por qué oro en silencio? Solo estamos aquí Dios y yo.* Ese día se me había hecho tarde y decidí orar en voz alta mientras hacía la cama.

Empecé a presentarle al Señor una serie de asuntos que me producían ansiedad y oré más o menos así:

"Señor, tú sabes que quiero volver a casarme y tener hijos, pero *estoy por cumplir 40* años. Se me está yendo el tiempo, Dios. Y, por si no oré bien hasta ahora, te estoy pidiendo por los deseos de mi corazón. Tu Palabra dice que si me deleito en ti, tú me darás lo que mi corazón desea. Creo en ti, Señor, *¿podrías* apre*surarte un poco y cambiar esta situación?"*.

Fue entonces que escuché una frase simple y profunda en mi espíritu: el mensaje de Dios para mí: "No hay nada que cambiar".

Me detuve al pie de mi cama. Me envolvió una paz y sentí que una carga se levantaba de mis hombros. Esa sensación fue inmediata. Me quedé meditando en ello. *No hay nada que cambiar.*

Hay algo realmente liberador en el contentamiento, en aceptar la situación actual de tu vida. No quiero decir que está mal tener deseos o ambición de otra cosa, sino que debes estar simultáneamente en paz sin luchar. Es reconfortante aceptar el hecho de que "no hay nada que cambiar".

Una de las razones por las que creo que las mujeres somos menos felices que hace algunas décadas es porque somos bombardeadas por expectativas que determinan cómo debería ser nuestra vida. Si eres soltera, puedes sentir que necesitas cambiar esa situación y casarte. Si eres casada, puedes ser desdichada y sentir que necesitas cambiar a tu esposo o de esposo. Si tienes hijos, tal vez necesites cambiar la manera de criar a tus hijos o corregir a tus hijos. Si no tienes hijos, quizás necesites cambiar esa situación también. Si tienes una profesión, es posible que quieras cambiar el hecho de que no puedes progresar. Si eres ama de casa, puede que te sientas mal por no hacer otra cosa fuera del hogar. Cualquiera que sea la etapa de tu vida, si te dejas vencer por el constante bombardeo de las expectativas, estarás todo el tiempo sintiendo que necesitas cambiar algo. Es un proceso agotador e interminable, que te roba la felicidad.

¿Has sentido la presión de "resolver" algo en tu vida? ¿Cómo sería tu vida si te rindieras? Por primera vez ese día, al pie de mi cama, me rendí. Renuncié a la necesidad de querer ver resultados y decidí que mi felicidad no dependería de ningún "cambio" en mi vida. Por primera vez, sentí que todo estaría bien. Decidí confiar en Dios pasara lo que pasara y algo hermoso sucedió.

Dejé de pensar en cambiar mi vida y empecé a soñar en todo lo que podría llegar a ser, tal como estaba. En otras palabras, si las circunstancias que no dependen de mí nunca cambiaran, ¿qué haría en mi vida? Sin la carga de tener que contener la respiración y esperar el marido perfecto y poder tener hijos, dije: "Valorie, ¿qué quieres hacer con tu vida tal cual es en este momento?".

Quiero ir a Italia. Quiero visitar cada continente. Quiero disfrutar más mi familia. Quiero que mi ahijada y mis pequeños sobrinos visiten a su tía Valorie en las vacaciones de primavera y verano. Quiero ser más generosa y ayudar a otras personas. Quiero terminar de pagar mi préstamo hipotecario. Quiero dedicarme a mi lado periodístico y entrevistar a las personas. Quiero ser anfitriona de un programa televisivo. Quiero hacer un trabajo voluntario que sea gratificante para mí y de ayuda para las personas que lo necesitan. El solo hecho de escribir esta lista me llena de gozo y felicidad.

Al renunciar a lo que creía que "debía" ser mi vida, fui libre para enfocarme en todo lo que podía hacer *en ese instante.* Todas las cosas que acabo de mencionar son cosas que podía emprender. Y creo que, al vivir con esta clase de gozo y pasión, descubriré una vida mucho más gratificante de la que pueda imaginar, pensar o pedir.

¿Y tú? ¿De qué manera ha llegado el momento de no tratar de cambiar las circunstancias de tu vida, sino simplemente relajarte?

RECETA PARA LA FELICIDAD #10

Palabras positivas

Por qué es difícil que los pesimistas sean felices y cómo todos podemos aprender a ser más optimistas.

Decisión:

"Me propongo decir palabras de esperanza, paz y amor cada día".

Ya habrás escuchado decir: "Somos lo que pensamos". Pero los pensamientos a menudo se convierten en palabras antes de ser acciones. Por lo tanto, podemos afirmar: "Somos también lo que decimos". De hecho, últimamente, los neurólogos han comprobado que decir palabras más potentes nos hacen más potentes. Por ejemplo, cuando levantamos peso, decir una palabra como *fuerte* aumenta la fuerza con la que levantamos ese peso. Asombroso, ¿verdad? Proverbios 18:21 declara: "En la lengua hay poder de vida y muerte". Es una verdad absoluta y la ciencia lo ha comprobado: la vida y la muerte *están* en poder de la lengua.

Justamente ayer lo comprobé mientras seguía un video de entrenamiento físico extremo, donde el instructor que guiaba los ejercicios miraba constantemente a la cámara y decía: "¡Vamos, un poco más!". Jadeante, transpirada y sin aliento, quería decirle que se callara la boca. Pero siguió hablando y animándome… y yo seguí sacando fuerzas y energía. Y, ¿sabes qué? Funcionó. Ya sea una palabra de aliento de otra persona o las palabras que tú confiesas para animarte a ti misma, las palabras son poderosas.

De hecho, el lenguaje positivo es una herramienta para la felicidad. Las "palabras positivas" despiertan emociones y sustancias químicas en el cerebro que te hacen sentir más feliz y más fuerte. Hay varias maneras de usar tus palabras para generar felicidad. Aquí las enumero y, a continuación, analizaremos cada una en más detalle:

1. Habla de manera afirmativa.
2. Rodéate de palabras positivas.
3. Abrevia tu historia de dolor.
4. Escribe sobre tu mejor futuro posible en tiempo presente.
5. Recibe palabras positivas.
6. Usa palabras que te animen.

Cada uno se sacia del fruto de sus labios (Pr. 12:14).

Habla de manera afirmativa

Repite en voz alta estas frases lenta e intencionalmente.

- Puedo hacerlo.
- Mi sueño es posible.
- Soy feliz por ______.
- Dios me ama.
- Soy una persona amada y encantadora.
- Soy bendecida.
- Estoy agradecida por______.
- Tengo dones y talentos que hacen del mundo un lugar mejor.
- Me gusta la persona que hay en mí.

¿Qué emociones sientes después de confesar estas palabras? ¿Son emociones positivas? Podría parecer un poco artificial hacer confesiones positivas en voz alta, pero después de hacerlo la mayoría de las mujeres se sienten más aliviadas, más fuertes, más felices y más optimistas.

Investigadores franceses concluyeron que usar un vocabulario positivo envía mensajes al cerebro que produce resultados positivos. Por ejemplo, si dices: "¡Sí, puedo hacerlo!", al tratar de levantar un objeto, lo harás con más fuerza. Sin embargo, si dices: "No voy a fallar", no obtienes el mismo resultado. La clave de hablar de manera afirmativa es estructurar tus oraciones en función del resultado que deseas obtener, no del resultado que no deseas. Así que en vez de decir: "No quiero estar triste", di: "Quiero estar feliz". En vez de hablar de lo que rechazas, habla de lo que estás *a favor*. Significa enfocarte intencionalmente en lo positivo, lo que más quieres en la vida y en las relaciones. Este cambio en la manera de usar tu vocabulario es sencillo, pero motiva una energía diferente que cuando te enfocas en lo negativo.

Cuando hablas de manera negativa, piensas en lo negativo. ¿En qué piensas cuando lees: "Estoy cansada de pelear con mis hijos"? Es probable que visualices exactamente las palabras que esa frase evoca: alguien que discute con sus hijos. Pero ¿qué piensas cuando escuchas: "Quiero un clima de paz en mi hogar?". Es muy probable que te imagines un ambiente pacífico. Usa tus palabras para evocar imágenes positivas de lo que quieres manifestar. Habla de manera afirmativa.

Rodéate de palabras positivas

¿Qué palabras ves diariamente en tu entorno, en la pantalla de tu computadora, en la decoración de tus paredes o en la pizarra que tienes en tu oficina? Si usas palabras en tu ambiente, asegúrate de que sean motivadoras.

Estudios han demostrado que en el cerebro también se liberan hormonas de felicidad cuando leemos una palabra positiva, como el caso de *sí* o *amor*, y hormonas que inducen estrés cuando leemos palabras negativas, como el caso de *no* u *odio*. Las palabras influyen. Las palabras tienen el poder de cambiar tu estado de ánimo... inmediatamente. Lee las palabras de la siguiente lista, primero las palabras negativas y luego las positivas, y observa la diferencia de emociones que te transmiten.

¡No!	¡Sí!
Odio	Amor
Pobreza	Abundancia
Guerra	Bendiciones
Pelea	Belleza
Disgusto	Fuerte

Tonto	Feliz
Deprimido	Entusiasmado
Feo	Alegre
Maldad	Risa

¿Qué palabras positivas te gustaría ver todos los días? ¿Qué deseas que evoquen en ti esas palabras?

____

____

____

____

____

Abrevia tu historia de dolor

Una manera de sabotear tu felicidad es hablar demasiado de los sucesos negativos de tu vida. Cuando estás atravesando una etapa difícil, es normal e incluso necesario hablar de eso para poder procesarlo, pero, al final, debes seguir adelante. Cuando haces largas descripciones de vivencias negativas, puedes volver a vivir esas emociones. Probablemente, ya lo has experimentado, ¿verdad? Estás pasando un día excelente y ¡alguien te trae a la memoria esa antigua situación que te entristece! No muerdas el anzuelo. Una vez que has resuelto un problema o asunto en particular, no lo revuelvas. Abrevia tu historia de dolor a 30 o 60 segundos.

Escribe sobre tu mejor futuro posible en tiempo presente

En mi libro *Las mujeres exitosas piensan diferente* hablo de un ejercicio llamado "Tu mejor futuro posible". La investigadora, Dra. Laura King, descubrió que hay beneficios para la salud cuando escribimos en tiempo presente sobre el potencial que imaginamos para nuestra vida. Se ha comprobado que quienes lo hacen tienen un sistema inmunológico más fuerte, lo cual los hace menos susceptibles a los resfriados.

Depende de lo que imagines para tu futuro, podrías escribir algo como lo siguiente:

Soy una mujer sana y feliz. Hago ejercicio cada día y como suficiente fruta y vegetales. De hecho, ¡me encantan las comidas saludables y caseras! Mi esposo es mi mejor amigo y tenemos un matrimonio sólido. Somos un buen ejemplo para nuestros hijos de lo que es una buena relación. En el trabajo soy eficiente y lo que hago no me estresa. Disfruto de mis compañeros de trabajo y ellos me respetan por mis esfuerzos. Financieramente, estamos libres de deudas, tenemos un fondo de emergencias y estamos ahorrando activamente para jubilarnos a los cincuenta años. Nos estamos preparando para pasar unas vacaciones en la playa dentro de dos meses, ¡y estoy contenta de poder tomarme un tiempo para relajarme con regularidad!

¿Comprendes la idea? Inténtalo. Escribe cómo te ves dentro de un año en tiempo presente.

____

____

____

____

____

____

Recibe palabras positivas

A menudo los pensamientos se convierten en palabras antes de ser acciones. Pero también sucede lo contrario. Las palabras se convierten en pensamientos y luego en acciones. Esto sucede especialmente con las palabras de otros. Tú no puedes controlar lo que sale de la boca de los demás, ya sean amigos o familiares o un personaje de la televisión. Por eso es muy importante determinar a consciencia a quién y qué permitimos en nuestro entorno. Si las personas con las que pasas más tiempo son pesimistas, finalmente, podrías notar que te estás volviendo más pesimista. Si gran parte de lo que miras por televisión es triste y melancólico, no te sorprendas si te sientes deprimida cuando te levantas del sofá. Si tu música consiste en canciones de amor y traición, con razón no tienes esperanza. Protege tu mente y no te expongas a palabras negativas.

A menudo digo en broma que mi talento para escribir surgió de las palabras de mi maestra de segundo grado, la señorita Johnson. Ella me decía que yo era una buena escritora. ¡Y me lo creí! Después de todo, ella era una experta y sabía lo que decía, ¿verdad? Una vez escribí una poesía o un pequeño verso como este:

Me gusta caminar, hablar y con tiza jugar
y en el sol andar, saltar y juguetear.

Eso es. Breve y dulce. De ahí, ella dedujo que yo tenía talento y envió mis poemas a revistas infantiles e incluso consiguió que publicaran uno. Durante el resto de mis años escolares, me comporté pensando que era talentosa. Cuando llegaba el momento de escribir, me sentía segura. Siempre escuchaba que me decía con certeza: "Eres una buena escritora".

Para beneficiarte de las palabras positivas de otros, debes estar dispuesta a recibirlas. De ahora en adelante, no rechaces los comentarios positivos de los demás sobre ti. Aunque te incomode, simplemente di: "Gracias", y recibe esas palabras. Pero cuando hagan comentarios negativos y falsos sobre ti, recházalos. Reconoce que las opiniones de los demás son solo eso: opiniones, y no la realidad. No tengas miedo de usar palabras en tu defensa y poner límites cuando sea necesario. Recibe lo positivo y rechaza lo negativo. Para poder recibir palabras positivas, asegúrate de poner límites, ten cuidado con lo que miras y con lo que escuchas, y selecciona bien lo que lees.

Usa palabras que te animen

Las palabras más poderosas son aquellas que te dices a ti misma. Por lo general, creemos nuestras palabras más que las de otras personas. ¿Qué estás diciendo de ti misma, de tu potencial, de tu vida?

Cuando hablo de resiliencia, a menudo enseño una formula muy simple adaptada de la obra del Dr. Aaron Beck, considerado el padre de la terapia cognitiva-conductual. Esta perspectiva reconoce que nuestro destino y nuestro bienestar psicológico no es tan solo una manifestación de lo que sucedió en nuestra infancia. No podemos resolverlo mirando atrás simplemente y tratando de averiguar por qué hacemos lo que hacemos. En cambio, podemos cambiar de conducta al cambiar lo que pensamos; o sea, lo que decimos en nuestra propia mente. Solemos creer que nuestro estado de ánimo y nuestro comportamiento es resultado de lo que nos sucede: nuestras circunstancias. Pero la verdad es que tu estado de ánimo está determinado por lo que piensas sobre tus circunstancias. Tus palabras son poderosas, especialmente las de tu mente.

Por lo tanto, recuerda esta pequeña fórmula. Yo la denomino PPR: Provocación, Pensamientos y Reacciones. Una provocación es un hecho, una conversación, un factor estresante o una adversidad que enfrentas. Tus pensamientos son lo que te dices a ti misma sobre la provocación. Tus reacciones son tus sentimientos o tus acciones como resultado. La clave para tu felicidad (cómo te sientes con tu vida y qué haces cada día) no depende de las provocaciones que enfrentes, sino de tus pensamientos sobre dichas provocaciones. Cambia lo que te dices a ti misma y cambiarás cómo te sientes. Las mujeres felices piensan diferente sobre sus circunstancias. Por eso puede haber dos mujeres que atraviesan circunstancias similares pero con perspectivas totalmente diferentes de la vida.

Depende de ti cambiar tu manera de pensar de tal manera que te produzca felicidad. Cuando te enfrentas a circunstancias difíciles, estas son las palabras que las mujeres infelices se dicen:

- Todas las cosas malas me pasan a mí.
- ¡Tengo tanta mala suerte!
- Me vida se acabó. Mis mejores días quedaron atrás.
- No puedo.
- No soy suficientemente buena, inteligente, atractiva o rica.
- No hay esperanza.
- No puedo hacer nada bien.
- Tengo miedo de no poder hacerlo. Estoy bloqueada.
- Me doy por vencida.

Frente a las mismas circunstancias, las mujeres felices usan *palabras positivas* para salir de esas circunstancias difíciles:

- Tuve un mal día, pero así es la vida y no me voy a dejar vencer.
- No lo conseguí, pero estoy aprendiendo del fracaso y finalmente lo lograré.

- Tengo todo lo que necesito para hacer lo que Dios me llamó a hacer.
- Sufrí una desilusión, ¡pero no pierdo la esperanza!
- Me equivoque, pero estoy subsanando mi error.
- Lo mejor aún está por llegar.

Elige tus palabras premeditadamente. Elije palabras que te den esperanza, te inspiren y te animen. Es tu decisión.

¡Practica esta receta para la felicidad!

- Coloca estratégicamente palabras positivas y frases inspiradoras que te llenen de esperanza en todo tu entorno: sobre tu escritorio, en tu hogar o en la pantalla de tu computadora.
- En vez de hablar de lo que no deseas, expresa lo que deseas.
- Toma algunos minutos para describir tu mejor futuro posible en tiempo presente.
- No caigas en conversaciones negativas ni destapes viejas heridas y emociones negativas innecesariamente. Abrevia tu historia.
- Júntate con amigas que te inspiren.
- Anima con tus palabras a otros. Es una manera poderosa de servir.

TEMA DE CONVERSACIÓN

¿Palabras positivas o palabras negativas?

Tú decides ver el vaso medio lleno o medio vacío.

Reflexión personal

- Las personas optimistas son más propensas a lograr sus metas, guiar eficazmente a otros y ser felices, especialmente frente a la adversidad.
- Decide ver el vaso medio lleno sin dejar de reconocer tus decepciones. Se auténtica, pero aviva tu esperanza.
- El optimismo realista equilibra el futuro con esperanza y visión del futuro.

Preguntas para iniciar el diálogo

- ¿Has fingido alguna vez que todo estaba bien mientras por dentro sentías todo lo contrario? ¿Cuándo? ¿Por qué? ¿Cuál fue el resultado? ¿Qué harías diferente si tuvieras la oportunidad?
- Cuando alguna circunstancia de tu vida no te hace feliz, ¿usas palabras positivas o negativas?

Al entrevistar a mujeres de todo el país, noté que la actitud de la mujer con respecto a sus relaciones —su estado civil (casada, soltera)— parecía ser uno de los factores que más contribuía a su felicidad o infelicidad. Inicialmente, pensé que todo dependía del estado civil. Por ejemplo, muchas mujeres con las que hablaba eran solteras: algunas divorciadas, otras nunca se habían casado. Casi todas las mujeres que eran solteras querían casarse. La mayoría de las mujeres que no tenían hijos querían tenerlos. Y mientras algunas mujeres estaban claramente deprimidas por no tener un esposo o hijos e incluso eran pesimistas al respecto, otras aceptaban la etapa que estaban viviendo y mantenían la esperanza de conocer un amor y formar una familia en el futuro. Considera este comentario de Alicia en Facebook, que reconoce que desea casarse y tener hijos:

> Dentro de un mes cumpliré cuarenta años. No tengo hijos, nunca me casé y tengo una vida maravillosa. ¡Rodéate de personas buenas y apártate de la chusma! Soy una tía magnífica ¡sin ninguna duda!

Compáralo con el mensaje de otra mujer llamada Melisa, que se acaba de divorciar y tiene un hijo hermoso:

> No hay día que no llore. Pronto cumpliré cuarenta años y la vida no es la que imaginé. Me siento muy insignificante.

Y luego tenemos este comentario de Ángela:

> Hace doce años que estoy casada y no puedo decir que tengo un matrimonio feliz. Pero estoy tratando de rescatar lo mejor del mismo. El divorcio no es una opción para ninguno de los dos.

Estas tres mujeres tienen una situación relacional muy distinta y actitudes diferentes frente a la vida que les ha tocado. Algunas dirán que Alicia se está engañando; que no está siendo sincera. ¿Puede realmente conformarse con ser tía y nunca ser madre, si es eso lo que quiere? Mujeres como Alicia dirían: "Si no tengo hijos ni un esposo en este momento, ¿para qué hablar todo el tiempo de eso? ¿En qué me puede ayudar? ¿Por qué no rescatar lo mejor de mi situación mientras espero otra cosa?". Evidentemente, su actitud con respecto al matrimonio contribuye a su felicidad. Este es un perfecto ejemplo del poder de tus pensamientos, que es la clave para la resiliencia.

¿Qué te estás diciendo a ti misma sobre tus circunstancias?

A fin de cuentas, tu actitud frente a tu estado civil surge de tus pensamientos más profundos. ¿Qué te estás diciendo sobre tus circunstancias? ¿Te ayuda o te lastima lo que te estás diciendo? Estas dos preguntas son simples, pero profundas. Considera por ejemplo el caso de Alicia. Ella se está diciendo: "Mi vida es maravillosa. Estoy muy bien sin un esposo y sin hijos y, si me caso y tengo hijos, voy a estar muy bien también. Decido no poner al matrimonio en un pedestal como la cura de toda infelicidad".

Por otro lado, Melisa dijo algunas cosas totalmente opuestas: "Soy totalmente insignificante. La vida no ha sido como lo había planeado, por eso soy una mujer desdichada. Estoy por cumplir cuarenta años y me siento fracasada porque, a mi edad, no he logrado nada en la vida". Se nota claramente que sus pensamientos la están lastimando. No quiero decir que no tenga nada que lamentar. La ruptura matrimonial es extremadamente dolorosa. Nunca minimizaría eso. Sin embargo, cuando experimentas algo tan decepcionante y devastador, es aún más crítico prestar atención a lo que te dices a ti misma sobre esa circunstancia. Puedes prolongar tu recuperación si exageras esa terrible experiencia. Cuando le das importancia a una realidad que te debilita emocional y mentalmente, atentas contra tu propia recuperación y posible felicidad. La clave es ajustar tus pensamientos a lo que piensa el Dios de amor sobre tu vida y tus circunstancias.

Analicemos otra vez los pensamientos de Ángela. Ella se ha resignado a un matrimonio infeliz. No está buscando consejo, pero está comprometida con su matrimonio, y eso es sumamente positivo. A menos que quiera vivir desdichadamente, debe hacerse algunas preguntas. ¿Qué metas en su matrimonio podrían fijarse ella y su esposo? ¿Qué pasos podrían dar para mejorar su matrimonio? ¿Cómo quieren que sea su matrimonio dentro de un año o una década? Cuando empiecen a visualizar el futuro, les resultará más claro ver qué pasos deberían dar a partir de ahora.

¿Una actitud positiva o una pose positiva? ¿Cómo determinar la diferencia? Una actitud positiva tiene que ver con creer en otras posibilidades para el futuro. Una pose positiva es ponerse una máscara de felicidad en una situación infeliz. No es ser auténtica. No es la verdad. Hacer uso de tu fe y palabras positivas que te produzcan felicidad solo funcionará si eres auténtica.

RECETA PARA LA FELICIDAD #11

Moverse

Por qué el ejercicio puede ser tan eficaz como los antidepresivos, y cómo convertirlo en un estilo de vida.

Decisión:

"Me propongo dedicar 30 minutos a mover mi cuerpo cada día".

Acabo de llegar de una caminata a paso ligero y por momentos también corrí. Puedo afirmar que me siento más viva y llena de energía que cuando salí. Mi cabeza está más despejada y, aunque ahora estoy sentada y ya no camino, sigo respirando profundamente. Siento mis pulmones ensanchados, como si pudiera cantar a todo pulmón una balada de Whitney Houston (sé que no sonaría como Whitney, ¡pero igual siento como si pudiera hacerlo!). No salgo a correr para adelgazar. La razón principal es porque me hace sentir bien. La segunda razón es para estar saludable y, aunque no me veo "saludable" inmediatamente después, me siento bien de inmediato.

Permíteme ser clara. Hoy salí de mi casa con entusiasmo. Pero hay días cuando me pongo mi ropa de gimnasia con la intención de salir a correr y termino con la ropa de gimnasia puesta hasta la hora de ir a dormir. ¿Has tenido uno de esos días? Tenías la intención de hacer ejercicio, pero las distracciones parecían más tentadoras, no lograste enfocarte y tu plan se malogró. A todas nos pasa de vez en cuando. Sin embargo, parece más fácil posponer el ejercicio que otros objetivos. Una de las razones podría ser que el resultado que pensamos que nos dará el ejercicio no es inmediato. Es decir, que pensamos mal. En vez de enfocarnos en la gratificación demorada de una vida más larga, un corazón más sano y una talla menos, tal vez debamos enfocarnos en el beneficio inmediato que produce el ejercicio: un aumento de felicidad.

Tal vez has encontrado la relación entre el movimiento y la felicidad. O quizás no. Si no, este es el momento perfecto de cambiar de perspectiva.

La felicidad es mejor motivador que la gratificación demorada

Moverse produce felicidad. Ya sea en una clase de *spinning* o caminar en el parque o bailar salsa o saltar tipo tijera, moverte mejora tu calidad de vida. No le puse "hacer ejercicio" a esta receta para la felicidad, porque simplemente no lo veo de esa manera. Además, muchas mujeres (tal vez tú seas una de ellas) no tienen un concepto bueno del ejercicio. Demasiadas mujeres solo piensan en el ejercicio como algo que deben hacer por la gratificación demorada de perder peso o prevenir una enfermedad cardíaca o bajar el nivel de colesterol. Según la clasificación de fortalezas realizada por la organización Valores en Acción, de la lista de veinticuatro fortalezas de carácter, particularmente en el mundo occidental, la "disciplina y el autocontrol" están en último lugar. Para la mayoría, la disciplina no es un motivador. Por otro lado, la felicidad sí lo es. La felicidad es lo único que buscamos por sí misma. Por lo general, todo lo demás en la vida lo buscamos porque creemos que nos hará felices; ya sea una relación o un logro profesional o esa nueva casa o incluso una relación con Dios. Soy mucho más feliz y tengo más paz cuando tengo a Dios en mi vida, que cuando vivo sin Él.

Entonces ¿qué pasaría si trataras de moverte porque te hace más feliz? No porque te hará adelgazar; no porque el médico te lo recetó, sino porque cuando te mueves, tu circulación sanguínea y tu oxígeno aumentan, tu cerebro libera endorfinas y tu mente se despeja y *te sientes más feliz*. Las mujeres felices se mueven. Y puesto que mueven el cuerpo, se sienten mejor… *instantáneamente*. ¿Quieres levantar tu estado de ánimo ahora mismo? ¡Empieza a moverte! De hecho, si en este momento te tomas algunos minutos para moverte, te aseguro que tu estado de ánimo mejorará. Según un sondeo de Gallup, los participantes que hicieron ejercicio durante solo veinte minutos dijeron sentir una mejoría significativa en su estado de ánimo incluso doce horas después comparado con aquellos que no hicieron ninguna actividad física.[1] No sé tú, pero muchas personas perdemos fácilmente veinte minutos por día. ¿Qué tal si dedicas ese tiempo a mover tu cuerpo para levantar tu estado de ánimo?

Diversos estudios que datan de hace más de tres décadas confirman que el ejercicio regular puede ser tan eficaz como los antidepresivos en pacientes que padecen de depresión moderada. Aquellos que eran constantes en su régimen de ejercicio eran menos propensos a reincidir. Un estudio de 1999, publicado en los *Archivos de la Medicina Interna,* dividió a los participantes que padecían de depresión en tres grupos. Un grupo participó en un programa aeróbico, a otro se les administró un antidepresivo y a un tercer grupo se los sometió a las dos cosas. Después de cuatro meses, más del 60% de los participantes dejaron de clasificarse como depresivos.[2]

Sin embargo, aunque no estés padeciendo de depresión, el ejercicio produce felicidad. Si ya eres feliz, te hará sentir aun mejor. Si estás en un estado neutral, puede producirte felicidad al aumentar tu circulación y el flujo de oxígeno y liberar sustancias químicas de bienestar en tu cuerpo.

No hacer nada produce cansancio

Podría parecer contrario a la lógica, pero la inactividad es una receta para el agotamiento. Fuimos creados para movernos y, cuando no lo hacemos, la inmovilidad nos hace perder energía. Cualquier ejercicio es mejor que ninguno. Haz algo. Ten algunas pesas livianas a mano, cerca de tu escritorio o al lado del sofá, y levanta pesas mientras haces un alto para descansar o mirar tu programa de televisión favorito. A menudo la falta de energía tiene que ver más con la inactividad que con la edad. Cuando te sientes cansada o triste, ese es realmente el momento más propicio para hacer ejercicio. Te llena de energía… literalmente. Cada día. Si quieres estar constantemente feliz y saludable, el ejercicio no debería ser una opción, sino una parte no negociable de tu vida. La verdadera pregunta es ¿cómo llegar a eso? ¿Qué estarías dispuesta a hacer regularmente como una manera legítima de ejercicio? Podría parecer

1. N. Hellmich, N. "Good Mood Can Run a Long Time After Workout", *USA Today*, 2 de junio, 2009, http://usatoday30.usatoday.com/news/health/weightloss/2009-06-02-exercise-mood_N .htm?csp=34.

2. "Exercise and Depression", Harvard Medical School, extraído el 7 de julio, 2013, http://www.health.harvard.edu/newsweek/Exercise-and-Depression-report-excerpt.htm.

una pregunta curiosa, pero estoy hablando muy en serio. Tienes que encontrar algo. De otra manera, el ejercicio será una lucha, un forcejeo de tira y afloja. Dos meses de ejercicio, dos meses de inactividad. Eso no es lo que quieres ni necesitas.

¡No hay excusas! Ocho maneras de empezar a moverte ahora mismo

1. Haz saltos tipo tijera. El pionero del ejercicio, Jack LaLanne, tuvo una idea genial: saltar en el mismo lugar a la vez que abres y cierras las piernas y juntas y separas los brazos es una excelente forma de empezar a moverte... ahora mismo. No necesitas ningún equipo. Haz de cuenta que estás en tu clase de educación física de primer grado. Puedes hacerlo al lado de tu cama, frente al sofá, en el jardín o en cualquier lugar.
2. Toma un descanso para estirar los músculos. Una de las mejores maneras de estimular tu energía después de haber estado inactiva por mucho tiempo es estirando los músculos. Es una actividad excelente para cuando te despiertas y te levantas, después de haber estado trabajando sentada por mucho tiempo o durante un descanso en medio de un largo viaje en auto.
3. Juega a las escondidas o a un videojuego que promueva el ejercicio con tus hijos. ¡Los niños te harán mover! Juega con ellos. No solo te moverás tú; tus hijos también lo harán. Con el aumento en los índices de obesidad y diabetes infantil, no hay regalo mejor para tus hijos que inculcarles el hábito de moverse.
4. Únete a una liga de deportes o empieza a hacer deporte por tu cuenta: tenis, golf, softbol, basquetbol o cualquier deporte que quieras. Los hombres son buenos para esto. Es una de sus maneras de vincularse con otros hombres. Como mujeres necesitamos imitarlos. Practicar un deporte es una manera excelente de vincularnos con otros, mover el cuerpo y divertirnos, todo al mismo tiempo.
5. Toma clases de danza. Esto no es solo para parejas, aunque tomar una clase de danza con tu marido es una manera divertida de mover el cuerpo y disfrutar un tiempo de calidad juntos. Pero no necesitas una pareja para tomar una clase. Averigua en tu ciu-

dad. Podrías encontrar una clase de hip-hop, jazz, claqué o *swing* para adultos. Ya sea en el gimnasio, en un centro cívico o en un estudio de danza, ¡inscríbete y empieza a bailar! Yo tomé clases de claqué para adultos. Fue una clase creativa y muy divertida.

6. Haz diez minutos de ejercicio tres veces al día. ¿No tienes tiempo para moverte? Divídelo en partes. No hay ninguna regla de que tus treinta minutos de ejercicio deban ser seguidos. Diez minutos a la mañana, diez minutos a la tarde y diez minutos a la noche —cada vez que puedas— es igual de efectivo.
7. Sal a caminar a paso ligero. Muchos médicos dicen que caminar es mejor que correr, porque es mejor para tu cuerpo, especialmente para las articulaciones. Es sencillo. Busca tiempo para hacerlo. Como una pequeña nota de inspiración para ti: mi madre, que usa un andador debido a su discapacidad, camina 4 km, cuatro días a la semana. Si ella puede hacerlo, ¡tú también puedes!
8. Pon tu música favorita y baila en la sala de tu casa. Mi primer recuerdo de baile es un día cuando estaba bailando en la sala de mi casa con mi mamá y una amiga de la niñez, Tyrone, con el álbum de Michael Jackson, *Off the Wall*. Yo tenía alrededor de cinco años y quería saber cómo bailar al ritmo de "*Rock with You*", una canción del álbum solista de Michael de finales de la década de 1970, y mi mamá nos mostró cómo. Cada vez que recuerdo ese momento, me río. ¡Por eso aún hoy sigo bailando en la sala de mi casa! Me encanta bailar. Es un gran ejercicio. Pongo la música de mi artista favorito de góspel, rock o pop —depende de mi estado de ánimo— y me muevo. ¡Inténtalo! Es divertido y una manera fácil de hacer que tu corazón bombee. No hay clases que tomar, ni videos que comprar, solo pura diversión.

El combustible que te ayuda a moverte

Para moverte más fácilmente, necesitas el combustible correcto. Hay ciertos alimentos que mejoran tu estado de ánimo y otros que lo arruinan.

Shirley, una de mis clientas, estaba frustrada por lo cansada que se sentía cada tarde. Típicamente, su energía se desplomaba entre las dos y las tres de la tarde. Con reuniones consecutivas, ella pensó que simplemente era el cansancio de tener que estar "activa" todo el día. Entonces se tomó dos semanas de vacaciones para recuperar energía. Después de dormir bastantes horas por la noche y sin reuniones o proyectos que cumplir durante el día, se quedó perpleja cuando —alrededor de las 2:30 pm de cada tarde— descubrió que se sentía embotada y cansada.

Sin ninguna explicación, decidió ir al médico, quien le hizo varias preguntas. Una de sus preguntas fue con respecto a su dieta. Aunque el peso de Shirley es saludable, se debe más a buenos genes y un alto metabolismo que a una buena dieta. La mayoría de los días, desayuna un café con dos donuts y opta por almorzar y cenar en un restaurante de comida rápida. Ella sabe que no es bueno para ella, pero es rápido y le encanta el sabor. "Soy casi adicta —dice ella—. Tengo mis tres o cuatro menús favoritos y voy rotando de restaurante de comida rápida cada día de la semana. Es barato y rápido, y eso me viene bien porque estoy muy ocupada". Evidentemente, la dieta de Shirley contribuyó a su agotamiento así como al sentimiento de tristeza que a veces la embargaba, pero no hablamos mucho de eso. Una dieta regular de pizza, hamburguesas, perros calientes y bocadillos procesados está relacionada a la depresión y al aletargamiento. Por eso debes alimentar tu cuerpo a consciencia con la clase de alimentos que realmente te hacen sentir bien.

Come para ser feliz: Alimentos que levanten tu estado de ánimo

- Bananas. El azúcar y la fibra hacen de esta fruta un alimento súper energético. Agrégale la proteína de la manteca de maní y tendrás un refrigerio saludable.
- Arroz integral. Es alto en magnesio, que es un mineral que produce energía de los carbohidratos y la proteína.
- Almendras. Son una merienda excelente para tener en una bolsa en tu cartera o sobre tu escritorio, porque están llenas de proteínas, magnesio y riboflavina.
- Salmón. Contiene proteína, vitamina B6, niacina y riboflavina, que ayuda a convertir todos los alimentos que comemos en energía.
- Espárragos. Están llenos de triptófano, que ayuda a procesar la serotonina, también conocida como la "hormona de la felicidad".
- Batatas (papa dulce). Este súper alimento es alto en vitamina A

y vitamina C, y puede evitar la fatiga de la media tarde. Prueba hacer puré de batatas, hacerlas salteadas o cortarlas en tiras y ponerlas al horno.

- Miel. Es un endulzante natural que estimula la energía. Úsala en un té de hierbas como un estimulante para la tarde.
- Espinacas. Son una extraordinaria fuente de hierro que ayuda a nuestro cuerpo a producir más energía. También contienen feniletilamina que ayuda a contrarrestar los químicos que producen depresión. Son una excelente elección para una ensalada o se pueden rehogar para acompañar un plato o mezclarlas con huevos para el desayuno.
- Carne de vacuno herbívoro. El ganado que se alimenta de pasto tiene más ácido linoleico, una "grasa feliz" que disminuye las hormonas del estrés y protegen las células del cerebro.
- El aguacate (la palta). Contiene gran cantidad de vitamina B3, un ingrediente que estimula la serotonina, así como ácidos grasos omega-3 vinculados con un cerebro sano y un buen estado de ánimo.
- Huevos. Estos contienen gran cantidad de triptófano que ayuda a estimular las hormonas que te hacen sentir feliz.
- Manzanas. Esta fruta es rica en fibra y, puesto que tarda en digerirse, el aumento de energía que produce dura más.

¡Practica esta receta para la felicidad!

- Haz una pausa en este momento y haz veinte saltos tipo tijera o estira tus músculos durante dos minutos.
- Pon una canción que te energice y baila durante toda la canción.
- En vez de comprar una merienda de una máquina expendedora, alimenta tu cuerpo con una manzana o banana y un puñado de nueces.
- Incorpora treinta minutos de ejercicio a tu estilo de vida cuatro días a la semana.
- Haz de mover tu cuerpo una actividad social. Inscríbete en clases de baile, toma lecciones de natación, tenis o golf, o únete a una liga de softbol femenino.

TEMA DE CONVERSACIÓN

¿Te gusta cómo te ves?

Reflexión personal

- Investigaciones indican que mujeres de todas las edades son más felices cuando se sienten atractivas.
- Los hombres que tienen canas y arrugas son "distinguidos", mientras que las mujeres tenemos que teñirnos las canas y usar productos rejuvenecedores.
- Nadie es realmente como se ve en la portada de una revista. Lo sabes, ¿verdad? Esas fotos están tan retocadas que apenas reflejan la foto original.
- Una mala imagen corporal afecta mucho más a las mujeres que a los hombres.

Preguntas para iniciar el diálogo

- ¿Estás contenta con tu apariencia? Si no, ¿qué quisieras cambiar y por qué?
- ¿Por qué algunas mujeres tienden a competir con otras en su apariencia?
- ¿Cómo aceptas una nueva norma de belleza cuando tu juventud empieza a desvanecerse?

Durante años, no me gustaba mi cabello. Hacía de todo para tenerlo más liso, más largo o más ondulado. Mi decisión de dejarlo natural en 2008 fue el resultado de una conversación que tuve con un amigo británico unos años antes. Él me había preguntado si podía tener el cabello como la cantante Macy Gray. Ella era una artista nueva en ese momento y cuando fui a su sitio web y vi su rizado afro natural, me reí a carcajadas ante el hecho de que él pensara que yo podía tener el cabello como *eso*.

—No —le expliqué—. Mi cabello está "relajado".

Sin idea de lo que significaba, indagó un poco más.

—¿Relajado? —dijo curiosamente—. ¿Acaso tu cabello está tenso?

Casi me caigo de mi silla.

—Podría decirse que sí —respondí mientras me reía de su pregunta—. Uso químicos para alisarlo.

Él seguía intrigado.

—Entonces, ¿eso es lo que hacen todas las mujeres de la raza negra o es algo que solo tú haces?

—La mayoría de las mujeres negras con cabello liso hicieron algo para alisarlo —le expliqué—. Después me hizo una pregunta que me quedó grabada durante años.

—¿Por qué no lo dejas como te crece naturalmente?

Esa pregunta directa me introdujo a un proceso interno para descubrir cómo era mi cabello natural. Había tenido el cabello alisado desde que tenía seis años. Cuando vives cerca de la playa, la humedad es un enemigo.

Cuando finalmente empecé a usar mi cabello natural, me sentí bien. Me hacía sentir más feliz cuando me miraba al espejo. Por primera vez como adulta, realmente me gustaba mi cabello. Ya sea nuestro cabello, piernas, nariz o talla, parece que las mujeres son mucho más exigentes con su apariencia que los hombres. Pero así es nuestra cultura. Las mujeres que trabajan en los noticieros televisivos a menudo no pasan los 50 años de edad, mientras que los hombres sí. Las actrices obtienen menos papeles principales a medida que envejecen, mientras que los hombres obtienen más. A las mujeres en posiciones de poder, habitualmente se las juzga por el cabello, el peso y la manera de vestir. Raras veces sucede eso con los hombres. Investigaciones dicen que a medida que los hombres envejecen, su felicidad aumenta; pero a medida que las mujeres lo hacen, se vuelven más tristes. No puedo dejar de preguntarme si parte de esa ecuación es la presión de vernos perfectas. ¿Qué piensas tú?

RECETA PARA LA FELICIDAD #12

Disfrutar

Cuando aprendes a disfrutar cada momento, aprendes a vivir de verdad.

Decisión:

"Me propongo disfrutar un momento que valga la pena cada día".

Esta primavera pasada, mi ahijada quería pasar unos días conmigo durante sus vacaciones escolares. Una de las razones por las que me mudé a Atlanta fue para poder estar cerca de las personas que más amo: mi familia. De modo que me emocionó que Destiny quisiera estar con su madrina, que también es prima y tocaya (compartimos el mismo segundo nombre). La primera noche, después de llegar a casa y cenar, ella quería que miráramos el canal de Disney. Perfecto. A veces yo también miro el canal de Disney para quitarme el estrés aunque no esté con ningún niño. Podría parecer infantil pero, sinceramente, no hay mucho que valga la pena ver por televisión en estos días, y a veces los programas informativos y de rumores son totalmente estresantes.

Destiny y yo nos sentamos en los extremos opuestos del sofá y nos pusimos a mirar la serie "El perro bloguero". Al rato, me estaba quedando dormida, y Destiny intentó despertarme con la emocionante noticia de que el siguiente programa era la película *Bichos: Una aventura en miniatura*. Después se acercó al otro extremo del sofá y se acurrucó a mi lado para mirarla juntas. Ninguna de las dos terminó de ver la película. Cuando me desperté recién pasada la medianoche, Destiny estaba profundamente dormida. Con su cabeza apoyada sobre mi brazo, dormía plácidamente. Sonreí, agradecida por el tiempo que estaba pasando con ella. Dentro de poco no querrá seguir viendo películas de dibujitos animados en un sofá con su madrina de cuarenta y tantos años. Pero por ahora, sí. ¡Qué bendición!

Disfrutar los momentos especiales de la vida es una importante herramienta para la felicidad. Y en medio de nuestro mundo frenético y ajetreado, es fácil perdernos momentos como estos. Sin embargo, si quieres ser feliz, no puedes perdértelos. Son momentos de paz y gozo y de vínculos. A veces perdemos de vista en qué consiste realmente la vida, porque nunca vivimos en el presente. Estamos pensando en el mes que viene o en la próxima semana y, si no es en el futuro, pensamos en lo que sucedió en el pasado. Una cosa es saborear deliberadamente el pasado y prever el futuro, como una forma de apreciar lo sucedido y generar entusiasmo por lo que vendrá. Y otra cosa completamente distinta es no vivir el presente, porque nunca te tomas tiempo para disfrutarlo.

¿Cómo "disfrutar"?

Si siempre estás ocupada y sientes como si corrieras por la vida e hicieras todo de manera automática, disfrutar requerirá cierta práctica. Vivimos en una cultura tan acelerada y tan enfocada en vivir la mayor cantidad de experiencias que, en realidad, es posible que no podamos vivir ninguna. Para disfrutar hay que ir más despacio. He descubierto que la mejor manera de hacerlo es respirar.

Incluso ahora mismo, mientras lees estas palabras, ¿cómo es tu respiración? Si es superficial, respira hondo. ¿Sientes el aire que entra por tus fosas nasales? ¿Sientes la ligera sensación de tu respiración sobre tu piel? Siente el aire que entra a tus pulmones, que ensancha y extiende tu caja torácica. Ahora respira un poco más hondo. En la próxima respiración, en vez de ensanchar tu caja torácica, haz que el aire llegue a tu vientre. Siente tu abdomen expandirse mientras inhalas. Luego abre tu boca y escucha el susurro mientras exhalas el aire. Deberías sentir que el oxígeno ha despejado tu cerebro, tu presión sanguínea podría haber bajado un poco y, seguramente, te sientes más relajada y serena. Acabas de saborear la respiración: el regalo más básico de Dios. Cada vez que respires conscientemente, recuerda que cuando sientes tu respiración, sientes la vida misma.

Disfrutar es vivir conscientemente en sintonía con la bendición de este momento en el tiempo. Para la mayoría de nosotras, requiere práctica. Mi mente parece proyectarse tan fácilmente al futuro que disfrutar es casi siempre una decisión intencional. Recuerdo las palabras de Mateo 6:34: "no se angustien por el mañana, el cual tendrá sus propios afanes". Vive el presente. Estas son algunas maneras prácticas de disfrutar:

1. Respira hondo y lento. Además de la acción de disfrutar en sí, respirar desacelera tus pensamientos, disminuye tu estrés y te trae al momento presente.
2. Apoya tus pies sobre el piso. Si eres como yo, podría significar que debes deslizarte hasta el borde de la silla porque, de otra manera, tus piernas generalmente quedan colgando. Pero, si eres una mujer de estatura promedio o alta, es más fácil. Siente cómo tus pies sobre el piso te conectan a tierra y te hacen consciente de tu cuerpo.
3. Come despacio. Me encanta la buena comida, ¿y a ti? Sin embargo, la mayoría de las veces comemos demasiado rápido. Hacemos otras cosas mientras comemos: hablamos por teléfono, revisamos los mensajes de texto o aprovechamos para leer. Ninguna de estas cosas son negativas en sí, pero hacer varias cosas a la vez mientras comemos, por lo general, significa que no disfrutamos plenamente la comida. Haz de la comida una experiencia. Usa tus mejores platos. No tragues apenas muerdes un bocado, sino saboréalo un momento. Degusta los sabores antes de tragar. No solo es una manera más consciente de comer, sino que comerás menos y digerirás más fácilmente los alimentos. Cuando la mayoría de las personas recibe la señal del estómago al cerebro de que está llena, ¡ya comió mucho más de lo que debería!
4. Pon límites en cuanto a tus conversaciones. ¿Has conversado con personas que responden a cualquier otra distracción mientras están hablando contigo? Son aquellas que te dejan hablando sola por teléfono en cuanto pasa otra persona a su lado y empiezan a hablar con ella. Están cenando y siguen respondiendo mensajes de texto y llamadas telefónicas. Es una situación molesta que te transmite que todo lo demás es más importante para ellas en ese

momento. Entabla conversaciones conscientes. A veces podría significar conversaciones más breves para poder cumplir con tus múltiples responsabilidades, pero serán de más calidad.

5. Pon límites en cuanto a tus actividades. De la misma manera, protege los momentos preciosos y las actividades importantes con límites que minimicen las interrupciones. Recuerda que, según los investigadores, las interrupciones disminuyen la felicidad. Es difícil disfrutar un momento cuando te están interrumpiendo continuamente por asuntos no relacionados.
6. Siente la emoción del momento. Algo más que perdemos cuando no disfrutamos el momento son los sentimientos. Cuando percaté la simpleza del momento, sentada en el sofá con mi ahijada, sentí varias emociones: gozo, paz, gratitud y amor. Puesto que me permití sentir las emociones del momento mientras lo disfrutaba, ahora puede recordarlo con cariño y escribir sobre esa experiencia, porque la recuerdo perfectamente bien. ¡Yo estaba allí! Viví a plena consciencia el momento. Por consiguiente, fue un momento rico y significativo, aunque también fue breve y sencillo. Sin proponerte "sentir la emoción", puedes vivir grandes experiencias largamente esperadas y no recordar mucho de ellas. ¿Por qué? Porque, en realidad, tú no estabas allí. Estabas presente físicamente, pero no emocional, mental o espiritualmente.

Disfruta los momentos cotidianos

Para estimular tu felicidad cada día, debes ser consciente de las amenazas diarias que te rodean. Por ejemplo, recién entré en mi casa después de estar sentada en el patio. Es un día cálido y soleado, y pensé que sería una buena idea tomar un poco de sol. Así que, en vez de quedarme adentro de mi casa leyendo mi devocional diario *Jesús te llama* y las memorias de Anna Quindlen, decidí sentarme afuera a leer. Después de quince minutos, el día soleado y cálido empezó a sentirse caluroso y pesado, de modo que ahora estoy sentada en la mesa del comedor. La puerta que da al patio está abierta y puedo escuchar el canto de las aves y su armoniosa melodía. Estoy escribiendo para ti, y eso me produce gozo. Estoy disfrutando el momento y espero que, cuando tú leas esto en un tiempo futuro, puedas disfrutar el momento de esta lectura.

Los momentos cotidianos son los más importantes para disfrutar, porque son los más comunes. Si no disfrutas hasta que lleguen momentos únicos y maravillosos de la vida, te vas a pasar la mayor parte de tu vida esperando. Si en cambio abres tus ojos al milagro y el regalo de cada momento, la felicidad te seguirá todos los días de tu vida.

Por lo tanto, sí, disfruta los momentos especiales, pero, aún más importante, disfruta los momentos cotidianos, porque son los más frecuentes. De hecho, llegan a cada minuto, a cada hora de cada día. Como un ejercicio, te reto a hacer una lista de los momentos cotidianos que normalmente vives apresuradamente o experimentas de manera automática. Puedes tomar la decisión deliberada de empezar a disfrutarlos a partir de hoy. Cierra los ojos y piensa en todos los momentos que normalmente experimentas y que quieres disfrutar más. Comenzaré la lista con algunas ideas y luego tú la puedes terminar:

1. Comer. Disfruta la oportunidad de degustar los sabores de tu comida y darle a tu cuerpo el alimento que necesita. Puede que descubras que disfrutar a consciencia tu comida te inspira a comer alimentos más saludables que puedes saborear mejor.
2. El viaje de ida y vuelta al trabajo. Lo sé. Si es un viaje estresante, esto podría parecerte ridículo, pero realmente no lo es. Cuanto más estresante es el viaje, más importante es encontrar la manera de disfrutarlo. Busca una manera nueva de pensar en el viaje. Tal vez puedas verlo como un tiempo de transición. Ponte música alegre que te energice mientras vas al trabajo y música relajante que te calme cuando regresas a tu casa. Podrías escuchar programas de inspiración o nada en absoluto. Tal vez solo quieras tener un tiempo de paz y silencio, algo que tal vez no tengas en el trabajo o en tu casa.
3. La hora de dormir de tus hijos. Después de un día largo, lo único que quieres es descansar. Aun así tienes que llevar a tus hijos a la cama antes de poder tener un tiempo para ti o con tu marido. Pero recuerda que acostar a tus pequeñitos es un ritual que no durará para siempre. Disfrútalo. Procura que sea un momento especial, tierno y sereno para que tus hijos tengan dulces sueños. Procura que sea algo que tanto tú como ellos esperen con ansias.

4. Leer un libro o tu revista favorita. Las palabras de una página pueden transportarte a otro mundo. Permítete experimentar por completo ese mundo y disfrutar el momento. Ve a un lugar acogedor, siéntate en tu sillón preferido o acurrúcate en la cama y piérdete en ese universo de palabras. Disfruta tu lectura, ya sea de una novela o de un texto educativo.
5. Conversar con una amiga. ¿Cuántas veces has hablado con una persona y descubriste que estaba haciendo cinco cosas más mientras hablaba contigo? Ya sea tu jefa, que responde llamadas y revisa correos electrónicos mientras tú estás tratando de recibir respuestas necesarias para un proyecto, o tu hermana que no te está escuchando realmente porque está distraída mirando televisión, a nadie le gusta sentir que la otra persona no está realmente presente. Valora la conversación. Empieza por invitar a otros a tu casa o a tomar un café nada más que para hablar. Luego disfruta la simple experiencia de conversar… sin interrupciones.
6. Hacer ejercicio. Aunque no te guste el ejercicio, ¡la verdad es que al final te sientes bien! El sentimiento de satisfacción que viene de saber que tienes la disciplina de levantarte y moverte es un estímulo que fortalece tu confianza. En ese momento, disfruta con gratitud el hecho de que puedes hacer ejercicio. No todos tienen suficiente salud para hacerlo.
7. Preparar la cena. Me encanta cocinar cuando tengo tiempo, pero no cuando estoy apurada porque se convierte en otra tarea más para tachar de mi lista de responsabilidades diarias. Es más fácil disfrutar ese momento cuando no piensas que es una responsabilidad a cumplir, sino una oportunidad de ser creativa, alimentar tu cuerpo o amar a tu familia. Todo está en lo que piensas que significa cocinar.
8. Arreglar el jardín. ¡Puedes disfrutar mientras plantas flores, cortas el césped y arrancas las malas hierbas! Ahora bien, sé lo que podrías estar pensando: "¡Valorie, estás llegando bastante lejos!". Pero realmente, no. Estar al aire libre provoca emociones positivas, porque estamos interactuando con la naturaleza, y el jardín nos ofrece una oportunidad de hacerlo. No estoy diciendo que te tenga que encantar (aunque admito que a mí me gusta arran-

car las malas hierbas; tal vez haya alguna clase de simbolismo emocional en eso), pero puedes disfrutarlo. Y puede ser incluso más fácil disfrutarlo cuando haces de eso una actividad familiar, una oportunidad de trabajar juntos como un equipo.

9. No hacer nada. Podrías pensar que es automático disfrutar los momentos cuando no tienes nada que hacer. Sin embargo, demasiadas a menudo, como mujeres, ¡pasamos esos momentos haciendo cualquier cosa menos disfrutar! En cambio, lo único que hacemos es pensar qué sigue en nuestra lista de tareas a realizar o nos sentimos culpables de "no estar haciendo algo". Si te pasas el tiempo de descanso pensando en todo lo que podrías estar haciendo, no estás descansando en absoluto. No valores solo el "hacer", sino también el "ser", el concepto de estar quieta. ¡Es una de las cosas más productivas que puedes hacer para ser más eficaz cuando llegue el momento de hacer algo otra vez! Disfrútalo.

10. ______________________________

11. ______________________________

12. ______________________________

13. ______________________________

14. ______________________________

15. ______________________________

16. ______________________________

17. ______________________________

18. ______________________________

19. ______________________________

20. ______________________________

El disfrutar y la autoestima

Otro punto interesante sobre el hecho de disfrutar: tu autoestima puede afectar drásticamente tu capacidad de disfrutar. Algunas personas reprimen sus emociones positivas cuando les suceden cosas buenas. Algunas lo hacen porque no quieren parecer presumidas o porque tienen miedo de tener grandes esperanzas de que les ocurran más cosas buenas. Creen que es mejor mantener la calma en caso de que las cosas no resulten. La investigadora, Dra. Brené Brown, denomina a esta reacción "alegría premonitoria"[1]: el temor de que, aunque las cosas parezcan marchar bien en el presente, es probable que no sigan así. Entonces, ¿por qué alegrarse demasiado?

Sin embargo, hay otra razón por la que algunas mujeres reprimen sus emociones positivas. Las personas que se aceptan tal como son y se valoran a sí mismas —aquellas que tienen una alta autoestima— ven la felicidad como un estado de vida que refleja su propia percepción de quiénes son. Una mujer en esta categoría podría decir algo como: "Soy valiosa. Dios me ama y me bendice". Por el contrario, una mujer que no se acepta cómo es o no se considera valiosa ve la infelicidad como el estado de vida que se merece. Cuando llegan las emociones positivas, es más probable que ella reprima esos sentimientos y los minimice. En realidad, está motivada a ser infeliz, porque la infelicidad forma parte de quién ella cree que es.

Ahora bien, si no te identificas con la idea de estar motivada a ser infeliz, ¡genial! Pero, si te identificas, usa esta información para reconocer que desarrollar un sentido de importancia y valor es un paso decisivo para aprender a disfrutar las bendiciones que llegan a tu vida. Hacer esto estimulará tu capacidad de ser feliz.

¿Qué piensas?

La clave de poder disfrutar cada momento está en qué piensas de los momentos que disfrutas, particularmente de las pequeñas experiencias. Si piensas que no son importantes y no vale la pena disfrutarlas, que son cosas ordinarias que necesitas hacer para terminar bien el día, no vas a terminar el día con una gran emoción positiva. Todos esos peque-

---

1. Brené Brown, *Frágil: El poder de la vulnerabilidad* (Barcelona, Ediciones Urano: 2013).

ños momentos a lo largo del día son los que conforman tu vida, y tu perspectiva de ellos determina la calidad de vida que experimentas. No creas la mentira de que la felicidad es lo que finalmente sucede cuando cumples tus metas o ganas la lotería o te casas o consigues un nuevo empleo. No. Una vida feliz es la que ocurre entre esos momentos especiales. Piénsalo de esta manera y vive cada momento según la ocasión.

En el libro de Eclesiastés, el rey Salomón advierte sobre esta verdad repetidas veces. La primera vez que leí Eclesiastés, me pareció un poco sobrio, incluso deprimente. Pero a medida que he madurado en mi fe, lo he visto diferente. Su advertencia contra "querer alcanzar el viento" es una palabra de exhortación contra el riesgo de pasar la vida corriendo para tratar de acumular cosas que, al final, no significan nada. Salomón nos está diciendo: "Miren, ¿los momentos cuando comen, beben y trabajan? ¡Esos son los momentos de la vida! Disfrútenlos. Entiéndanlo bien. La familia importa. La hora de cenar importa. ¡Hacer el bien importa!". Echa un vistazo a estos pasajes:

> "Nada hay mejor para el hombre que comer y beber, y llegar a disfrutar de sus afanes. He visto que también esto proviene de Dios" (Ec. 2:24).

> "Yo sé que nada hay mejor para el hombre que alegrarse y hacer el bien mientras viva; y sé también que es un don de Dios que el hombre coma o beba, y disfrute de todos sus afanes" (Ec. 3:12-13).

Magnifica los grandes momentos

Hemos hablado sobre cuán importante es disfrutar los momentos de la vida diaria, pero eso no significa que los momentos especiales no sean importantes. Sí, lo son. Los momentos cotidianos representan el viaje. Los momentos especiales representan el destino. Son esos momentos en que cruzas la línea de llegada. Y, aunque en la vida se trata más del viaje que del destino, ¡sería triste cruzar la línea de llegada como si fuera un hecho insignificante! Demasiadas mujeres son culpables de esta práctica, especialmente aquellas que se encuentran en lo que yo llamo "el ciclo infinito de los logros".

Si siempre estás esperando el próximo logro importante, puedes dejar de ver el valor de tu logro anterior. Las mujeres felices celebran los hechos memorables y los logros. Reconocen las fortalezas de carácter que se requieren para perseverar y las relaciones que les permiten realizar dichos logros.

Me refiero a magnificar un momento especial. Y el primer paso para magnificarlo es reconocer que realmente es importante. ¿Conseguiste un nuevo empleo? Es un momento especial. ¿Acabas de celebrar un aniversario? Es un momento especial. Ten en cuenta que un aniversario podría ser un aniversario de casados, de amigos (¡el aniversario de cuando conociste a tu novio, por ejemplo!) o un aniversario de trabajo (¿has perseverado y de alguna manera sobreviviste a tres series de despidos? ¡Festéjalo!). ¿Cumpliste una meta importante para ti? Es un momento especial. ¿Sigues viva tras una batalla contra el cáncer? Es un momento especial. ¿Finalmente compraste tu propia casa? Es un momento especial. Esto es lo que yo sugiero que hagas para magnificar tus momentos especiales:

1. ¿Qué momento has vivido recientemente o vivirás pronto que culminará algo importante de tu vida? Ya sea que recientemente hayas terminado un proyecto o cumplido una meta, reconócelo como un hecho memorable.
2. ¿Qué necesitaste para llegar a ese destino? Escribe en grandes detalles a qué cualidades de tu carácter tuviste que recurrir, los amigos o incluso los desconocidos que te ayudaron, los contratiempos que tuviste que superar y los momentos de esperanza que te ayudaron a seguir adelante. Este es un poderoso ejercicio para disfrutar.
3. ¿Qué sientes en este momento? Observa conscientemente las emociones que te produce este momento. ¿Te sientes liviana, como si te hubieran quitado una carga? ¿Entusiasmada? ¿Agradecida? ¿Emocionada? ¿Satisfecha? Disfruta tus sentimientos.
4. ¿Cómo lo festejarás? Escoge una manera significativa de celebrar tu momento especial. Ya sea una fiesta con amigos y familiares, un tiempo libre para gozar el logro obtenido, o recompensarte y dar una recompensa especial a quienes te hayan ayudado, no te olvides de celebrar.

¡Practica esta receta para la felicidad!

- Vive el momento con todo tu ser y respira hondo, siente la respiración en tus fosas nasales y cómo se llenan tus pulmones y abdomen. Pon tus pies en el suelo. Siente tu cuerpo y tu presencia dondequiera que estés.
- Pon límites en cuanto a tus conversaciones y tus actividades. Esto podría significar apagar el teléfono celular, no responder los mensajes de texto y los correos electrónicos hasta después de haber terminado una conversación o actividad, y resistir el impulso de hacer varias cosas a la vez.
- Observa lo que sientes. Disfruta cada momento y toma mayor consciencia de las emociones positivas.

TEMA DE CONVERSACIÓN

Cuando mires atrás dentro de diez años, ¿qué lamentarás no haber hecho?

Reflexión personal

- Tomar una decisión teniendo en cuenta lo que podrías pensar en el futuro cuando mires atrás a esa decisión puede darte una perspectiva más sabia.
- Disfrutar genera emociones positivas.
- Nunca tomes decisiones importantes cuando estás de mal humor. Las emociones negativas disminuyen tu capacidad de pensar claramente.

Preguntas para iniciar el diálogo

- Cuando mires atrás dentro de diez años, ¿qué lamentarás no haber hecho?
- ¿Qué actividades haces apresuradamente que te gustaría disfrutar?
- ¿Qué te impide hacer aquello que temes algún día poder lamentar no haber hecho?

Estoy escribiendo estas páginas en Miami Beach. Desde donde estoy sentada, se ve como un paraíso tropical. Se escucha de fondo la música de jazz latino, y el canto de las aves es tan constante que se vuelve casi imperceptible. Las belladonas en flor envuelven las columnas y las clásicas palmeras de Florida llenan los jardines. El paisaje es paradisíaco.

Este escenario natural es significativo para mí por un motivo. Durante años, he dicho que me encanta el sur de Florida y que quiero pasar más tiempo aquí. Me envuelve una profunda nostalgia y una agradable paz cuando estoy cerca del océano.

Creo que esto tiene su origen en mi niñez. Una de las fotografías preferidas de mi infancia es una de cuando tenía diez meses y estaba sentada plácidamente frente al golfo de México con un traje de baño de bebé color azul. No estábamos de vacaciones. No nos tomábamos vacaciones en ese entonces. Estábamos detrás de nuestra casa —o mejor dicho, de nuestra casa rodante— en la playa. Y, desde entonces, el agua siempre ha calmado y renovado mi alma. De modo que cuando se me ocurrió que alejarme para escribir podía ser productivo, pensé en la playa. También calculé el costo, pero finalmente pensé en la frase de Mark Twain, que cito a continuación. No son las cosas que hacemos las que más lamentamos; sino, generalmente, las que no hacemos.

> Dentro de veinte años lamentarás más las cosas que no hiciste que las que hiciste. Así que suelta amarras. Abandona el puerto seguro. Atrapa el viento en tus velas. Explora. Sueña. Descubre.

De modo que hace algunos meses, me hice la promesa deliberada de *vivir* más: hacer las cosas sin analizarlas demasiado y hacer más realidad mis sueños. Eso incluye el simple sueño de pasar más tiempo en mi lugar favorito: la playa. Increíblemente, cuando iba a la universidad de Tallahassee, visité la playa (a apenas 45 minutos del campus) solo una vez. Cuando viví en el imponente Colorado, fui a esquiar un par de veces. Cuando viví en Monterey, California, admiré la magnífica costa desde el asiento de mi auto mientras conducía por la carretera 101 y nunca me detuve a estacionar, salir del auto y caminar por la playa.

¿Por qué me tomo el trabajo de mencionar estos ejemplos? Porque si volviera el tiempo atrás, pasaría más tiempo disfrutando el medioambiente, creando experiencias y viviendo a pleno el tesoro de la belleza que me rodea. Para ser clara, reparé en ella y la admiré, pero demasiadas veces de lejos.

¿Qué lamentarás no haber hecho?

Me encantan los ambientes naturales y los lugares que me dan alegría. ¿Y tú? ¿Qué te da alegría? ¿Qué lamentarás *no* haber hecho? Piensa en las cinco áreas clave de tu vida: relaciones, finanzas, trabajo, salud y fe. Luego cierra los ojos e imagínate dentro de dos décadas. ¿Qué desearías haber hecho? Si eres como muchas de las mujeres que he instruido a lo largo de los años, tu lista podría ser parecida a la siguiente:

- Dar un paso de fe
- Vivir más, preocuparme menos
- Comer más saludable
- Hacer ejercicio, ¡aunque sea veinte minutos por día!
- No renunciar a mis sueños
- Viajar a destinos exóticos
- Trabajar menos
- Pasar más tiempo con mi familia

Desde luego que podrías tener otros sueños. Así que haz tu propia lista. Imaginar la vida en el futuro nos trae claridad. Nos ayuda a distinguir lo que importa de lo que no importa. Nos ayuda a ver qué semillas necesitamos plantar. Me pregunto por qué demasiadas veces vivimos como si la vida fuera una prueba experimental: una clase de ensayo general. ¿Acaso pensamos que en otro momento de nuestra vida tendremos la oportunidad de hacer las cosas bien? ¡Esto es todo! La vida es hoy. No volverás a vivir este día otra vez. Disfrútalo.

RECETA PARA LA FELICIDAD #13

Propósito

Por qué enfocarse demasiado en la felicidad es una receta para una vida infeliz.

Decisión:

"La felicidad no es el único objetivo de mi existencia".

Me gustaría poder decirte que cuando empecé a escribir este libro sobre la felicidad, todo fue puro gozo, pero no fue así. Al principio, casi me torturaba. Lamentablemente, esto no es nada nuevo para mí. He luchado contra la desidia desde la primera tarea escolar de séptimo grado que debía presentar. Pero esto fue diferente. El tema es la felicidad, ¡y no debería ser infeliz mientras escribo al respecto!

Después de un par de meses de frustración, me hice un profundo examen de conciencia y pensé en el momento cuando empecé a escribir mi primer libro: nueve libros atrás. Era un recordatorio de algo que ya sabía, pero que había sepultado bajo el esfuerzo de escribir el libro perfecto sobre las mujeres y la felicidad: el propósito. Fundamentalmente, mi propósito en esta tierra es comunicar: escribir, y de una cosa estoy segura: cuando escribo, soy feliz. Por eso, cuando descubres tu propósito, hallas tu gozo. En realidad, permíteme ser más clara: cuando descubres tu propósito *y te dedicas a vivirlo*, hallas tu gozo.

Tu propósito es esa cosa que Dios ha creado para ti; eso que le da sentido a tu vida, te coloca en eje, te da energía y paz. Sientes que estás haciendo exactamente lo que debes hacer cuando estás totalmente comprometida a cumplir tu propósito y, más importante aún, de alguna manera, la vida es un poco más alegre debido a eso.

¿Por qué estás aquí?

¿Por qué estás aquí? ¿Por qué estás en la tierra en este momento? ¿Por qué naciste en el seno de tu familia, con esos dones y talentos y experiencias personales? Realmente hay una razón de tu existencia. Es tu propósito. Algunos lo llaman misión. Todos tenemos una misión. Tu tarea es descubrirla y cumplirla. Cuando llegues al final de tu vida, seguramente querrás decir "misión cumplida", ¿verdad?

Es triste cuando no tenemos en claro nuestra misión; cuando nos sentimos un poco perdidas, aunque al resto del mundo le parezca que sabemos exactamente hacia dónde vamos. Recuerdo haber ganado galardones y premios en mi hermosa profesión, sin embargo, sentía una profunda insatisfacción en mi trabajo. Puesto que era buena en mi profesión, las personas que me rodeaban suponían que estaba encaminada en mi propósito pero, muy adentro, sabía que algo no estaba bien.

Puedes recibir todo el reconocimiento externo, pero si no hay propósito en lo que estás haciendo, sentirás un agujero negro: un vacío en tu alma que anhela sentir una verdadera satisfacción. Aquella que viene de saber que estás viviendo con un propósito.

Un día, mientras estaba en una sesión de consejería con una mujer que no podía definir su misión en la vida, de repente, le pregunté: ¿Qué aporte positivo haces a *la vida de una persona que se cruza en tu camino?* Inmediatamente, empezó a describir su misión: "Pues bien, soy como un puente que conecta personas, ideas y recursos. Mi aporte a la vida de ellas es ayudarlas a establecer la relación correcta". Así de simple y claro, definió su propósito.

Con los años, esta valiosa pregunta ha ayudado a muchas personas a comprender su propósito. Sin pensar ni meditar mucho, responde esta pregunta desde lo profundo de tu corazón: ¿Qué aporte positivo haces a la vida de una persona que se cruza en tu camino?

Todos estamos aquí por una razón y hacemos un aporte positivo en un mundo que sin nosotros no sería igual. Lo divertido es que podemos cumplir esa misión con nuestros dones, fortalezas, pasiones y experiencias particulares. Aunque es probable que no seas la única persona en el mundo con tu misión específica, eres la única que puede cumplirla a tu manera. Dios te ha dotado especialmente para que afectes de manera positiva la vida de algunas personas. Estas personas se relacionan contigo. Están a tu alrededor. Reciben tu influencia. Yo no soy la única escritora con la misión de inspirar a las mujeres a sentirse realizadas en la vida; sin embargo, por alguna razón, en este momento algo ha creado una conexión entre nosotras. De modo que contigo, en este momento, estoy cumpliendo mi misión.

¿Con quién crearás una conexión y cómo cumplirás tu propósito hoy? Mi reto para ti es: define tu propósito en una sola oración.

¿Qué te impide cumplir tu propósito?

Cuando escribo, siento gozo. La parte clave es *cuando* escribo. Cuando lo hago por placer o pura diversión, las palabras fluyen. Cuando lo hago para una audiencia, aparece el temor, el juicio, la ansiedad, la preocupación, ninguna de las cuales está en el camino a la felicidad. De hecho, es lo opuesto de lo que Dios quiere para nuestra vida. Cuando vivimos con un propósito, hallamos gracia, paz y gozo. Entonces, ¿qué nos impide cumplir nuestro propósito?

1. Temor a no hacer lo suficientemente
2. Temor al rechazo
3. Temor al fracaso
4. Temor al éxito
5. Preocuparnos demasiado
6. El perfeccionismo
7. Creer que todo gira a nuestro alrededor

Una de las razones por la que nos aferrarnos a nuestros dones es porque hemos creído la mentira de que nuestros dones son para nuestra propia vida y, por consiguiente, los tenemos que mantener para nosotras. No es así. Los dones que Dios te ha dado son con el propósito de bendecir a otros. Cuanto más compartas tu don, más valioso será.

El propósito incluye cosas tristes

Acababa de cumplir veintinueve años. Apenas recuerdo ese cumpleaños, porque mi mente estaba en cosas más serias e importantes, como el hecho de que hacía cinco semanas que mi madre estaba internada en el hospital. No podía caminar, comer o ir al baño sin asistencia médica. Tampoco podía ver bien o hablar sin dificultades. Yo era la única familiar adulta que vivía en la misma ciudad. Nuestros parientes venían a visitarla y a ayudar, pero no estaban permanentemente allí. Ella iba a estar en el hospital al menos un par de semanas más.

Los médicos y el equipo de rehabilitación se reunieron conmigo. Sin saberlo, se convirtió en un interrogatorio. En esa reunión me hicieron muchas preguntas. "¿Cómo harás para cuidar de tu madre? —me preguntó el médico principal—. ¿Quién la llevará todos los días a la terapia? ¿Cómo es tu horario? ¿Estás planeando mudarte a vivir con ella o ella se mudará contigo? Necesitamos enseñarte a alimentarla mediante la sonda de su estómago y a cateterizarla".

Como puedes ver, la felicidad no puede ser el único objetivo de tu existencia. La felicidad es un subproducto de una vida bien vivida. Había estado rehuyendo del último comentario que me hicieron los médicos. Y lo hice hasta dos días antes que se cumplieran los dos meses de su estadía en el hospital. Cada día, cuando llegaba una enfermera o un enfermero para cateterizar a mi madre, se ofrecía a enseñarme a hacerlo. "Oh, estoy segura de que su vejiga estará funcionando bien cuando le den el alta del hospital —insistía—. No es necesario que me enseñen". Al parecer, el personal se preocupaba cada vez más. Al igual que mi tía Billie, hermana de mi mamá.

Como toda una mujer dulce y amorosa, pero muy directa, mi tía Billie sacó el tema con total franqueza un día mientras estábamos en la fila de un restaurante de comida rápida.

—Sabes que tendrás que aprender a usar el catéter —dijo amablemente.

De inmediato se me empezaron a llenar los ojos de lágrimas. Era cierto. Necesitaba aprender a hacerlo.

—Pero no quiero, tía Billie —dije con tristeza y un dolor que se agudizaba en mi garganta.

—Lo sé, mi cielo —dijo tiernamente—, pero tienes que hacerlo.

Me quedé callada. Sabía que ella tenía razón y que yo no quería hacerlo. Tenía miedo de no hacerlo bien y de no saber qué hacer después que mi mamá saliera del hospital. Y, sobre todo, seguía luchando para poder entender la realidad de este nuevo reto. Mi madre de cuarenta y nueve años, que había estado en perfecta salud unas semanas antes, ahora no podía hacer las funciones corporales más básicas. Yo me sentía triste, asustada, enojada y confundida. La aneurisma cerebral y la cirugía de emergencia pasaron tan rápido que no había tenido tiempo de procesarlo todo o de lamentar la pérdida de salud de mi madre.

Mi tía Billie y yo nos quedamos en silencio mientras me acercaba a la ventanilla y le entregaba el dinero al amable cajero.

—Lo sé —dije—. Estoy muy triste por todo esto.

—Todo va a estar bien —me aseguró—. A veces en la vida tenemos que hacer cosas que no queremos hacer.

Creo que las palabras de mi tía Billie son una lección para todas nosotras. *A veces en la vida tenemos que hacer cosas que no queremos hacer.* A veces desearíamos que nuestras circunstancias no fueran las que son. Pero no es así. Y nuestra tarea en esos momentos es seguir adelante y cumplir nuestro propósito. En las circunstancias de tu vida que desearías fueran diferentes, ¿cuál es tu deber divino? A menudo, el propósito es muy específico: un deber que Dios te ha encomendado en esta etapa de tu vida. Cumple tu deber. Si no lo haces, no tendrás sentido en la vida.

Eso significa cumplir la misión por la cual fuiste creada. Todos fuimos creados con este propósito: amar y servir. Ahora bien, amar y servir es diferente para cada persona, porque cada una usa sus propias fortalezas, pasiones y experiencias particulares para amar y servir. Pero, a fin de cuentas, cumplir tu propósito significa amar y servir a otros como solo tú puedes hacerlo. Allí encontrarás tu mayor felicidad. Cuando estás fuera de tu propósito, podrías encontrar muchos momentos de placer o emociones positivas, pero te faltará el gozo y la satisfacción que caracterizan a una felicidad más profunda. El gozo y la satisfacción forman parte del día a día de una vida bien vivida: una vida deliberadamente forjada por decisiones significativas para ti.

En la vida hay pocas etapas donde todo parece estar bien. En casi todas hay algún tipo de prueba a enfrentar, ya sea pequeña o enorme. Hay experiencias difíciles, oportunidades para crecer y ser usadas por Dios. Si dejas pasar estas oportunidades y haces solo lo que supones que te hace "feliz" —en otras palabras, lo más fácil—, en realidad estarás socavando tu felicidad. Una vida superficial que solo incluye placer y tranquilidad te hará sentir insatisfecha. La verdadera felicidad es el gozo y el contentamiento profundos que vienen de saber que disfrutaste los momentos buenos y divertidos, y que cumpliste tu misión en los momentos difíciles.

Como puedes ver, la felicidad no puede ser el único objetivo de tu existencia. La felicidad es un subproducto de una vida bien vivida.

No puedo dejar de pensar en un pasaje de Santiago, mi libro favorito de la Biblia. Es un libro muy breve, pero lleno de principios poderosos y sabios. Santiago 1:2-3 declara: "Hermanos míos, considérense muy dichosos cuando tengan que enfrentarse con diversas pruebas, pues ya saben que la prueba de su fe produce constancia". Es difícil imaginar que las pruebas pueden traernos gozo, pero es verdad. ¿Has sentido alguna vez la profunda satisfacción de perseverar en la adversidad? Es una oportunidad de descubrir quién eres realmente y la fortaleza que Dios te ha dado. No hay otra manera de descubrir esa fortaleza sin atravesar dificultades. De hecho, aquellas personas que nunca han atravesado tiempos difíciles, por lo general tienen menos resiliencia. Y, sin ella, es muy difícil ser feliz. Después de todo, la vida incluye problemas y desencantos.

Piensa en alguna circunstancia de tu vida que no querías enfrentar, sin embargo, te pusiste a la altura de las circunstancias y encontraste satisfacción en tu capacidad de salir adelante. Cumpliste tu "deber divino". ¿Tienes una ocasión específica en mente? Ahora imagina por un momento que, en vez de haber enfrentado esa circunstancia, no hubieras cumplido tu deber. Hiciste lo que te resultó más fácil en ese momento en vez de lo que conllevaba un propósito a largo plazo. ¿Cómo te sentirías con tu decisión ahora? ¿De qué te lamentarías? ¿Cómo hubiera repercutido en alguna de tus relaciones? ¿Estarías más satisfecha contigo o decepcionada de ti?

La felicidad requiere resiliencia, la resiliencia requiere adversidad

Tu bienestar general aumenta cuando sabes que puedes hacer frente a cualquier circunstancia de la vida. Con Dios, todo es posible. De hecho, uno de mis pasajes bíblicos favoritos es este: "Te basta con mi gracia, pues mi poder se perfecciona en la debilidad" (2 Co. 12:9). No tienes que tener las respuestas o la fortaleza, pero si puedes entregarle la situación a Dios y pedirle que te conceda la gracia de perseverar, podrás hacerle frente e incluso superar la adversidad.

> La verdadera felicidad es el gozo y el contentamiento
> profundos que vienen de saber que disfrutaste
> de los momentos buenos y divertidos, y que
> cumpliste tu misión en los momentos difíciles.

Estaba triste aquel día en el auto con mi tía Billie. Estaba asustada, pero, una vez que acepté la realidad, entré a esa etapa de mi vida con claridad de propósito. Mi misión durante esa etapa no fue inspirar mujeres a sentirse satisfechas en la vida, sino inspirar y cuidar a una mujer en particular: mi madre. No puedo imaginar haber hecho otra cosa que la que decidí hacer. Si por alguna absurda razón no lo hubiera hecho, no sé cómo podría vivir con eso. ¿Fui feliz cuando lo hice? No. ¿Pensé que era justo? No. ¿No hubiera querido que quedara discapacitada? ¡Desde luego! Pero aprendí a lidiar con nuestra nueva normalidad y, de ese modo, tuvimos muchos momentos de gozo en medio de esa prueba. Disfrutamos momentos cómicos, como cuando mi mamá chocaba contra los estantes del supermercado al tratar de usar su silla eléctrica como un carrito de compras. Disfrutamos momentos de esperanza, como el día cuando consiguió caminar sola y a paso lento hasta el buzón del correo, algo que le llevó varios meses lograr. Y disfrutamos momentos de logros, como cuando el médico finalmente comprobó que podía tragar bastante bien y decidió retirarle la sonda de alimentación, un milagro frente al hecho de que nos habían dicho que había un 90% de posibilidades de que nunca volviera a tragar. Atravesar estas cosas juntas nos acercó mucho más y la cercanía nos da gozo.

Para mi madre, su viaje sigue siendo de perseverancia, pero ella dice que es más feliz ahora que antes de la aneurisma. Ahora vive en la ciudad donde creció, cerca de sus hermanas, sobrinas y sobrinos, e incluso sus sobrinas y sobrinos nietos; algo que la hace muy feliz. Curiosamente, investigaciones revelan que las circunstancias no son lo que nos hace felices. Estudios muestran que aquellos que atraviesan adversidades, como problemas de salud o un accidente que los deja incapacitados, por lo general, a los dos años recuperan el nivel de felicidad que tenían antes del accidente. Eso es resiliencia. No puedes ser feliz sin ella.

Advertencia: No puedes tomar cada decisión sobre la base de lo que te hace "feliz" ahora

Nuestra cultura hoy parece estar llena de ejemplos de personas que toman decisiones puramente sobre la base de la felicidad "inmediata" y esas decisiones, a menudo, conducen a una infelicidad a largo plazo. Te presento este reto a enfrentar en las decisiones recurrentes que debes tomar en tu vida: decisiones financieras, laborales, relacionales y aquellas referidas a tu salud. **Pregúntate: dentro de un año, o incluso dentro de diez, ¿qué decisión desearía haber tomado?** ***Y toma esa decisión.*** Ya sea que te sientas tentada a acumular deudas de tarjetas de crédito para comprar algo que no puedes pagar o consideres el divorcio por "diferencias irreconciliables", recuerda que la felicidad a largo plazo a veces implica una gratificación demorada; es decir, podrías tener que soportar la disciplina de la frustración a corto plazo por la recompensa del bienestar a largo plazo. Si la felicidad es el único objetivo de tu existencia, tu vida será dominada por el placer y no por el propósito, y esa es la receta para una vida infeliz. Sin embargo, si el propósito divino rige tus decisiones, ¡serás verdaderamente feliz!

¡Activa tu receta para la felicidad!

- Define tu propósito en una sola oración que responda la pregunta: "¿Qué aporte positivo haces a la vida de quienes se cruzan en tu camino?".
- Cuando te enfrentas a circunstancias inesperadas, pregúntate: "¿Cuál es mi misión aquí?".
- Cuando debas tomar una decisión difícil, no lo hagas solo en función de lo que te hace feliz ahora. Pregúntate: "Dentro de diez años, ¿qué desearía haber hecho?".

Conclusión

Sé feliz *mientras tanto*, no solo feliz *cuando*

Aunque no sabía de qué se trataba en ese momento, tuve mi primer ataque de depresión a los quince años. Mis padres se habían separado; habíamos perdido nuestra casa; vivíamos a 2500 km de nuestra familia y yo estaba muy triste. Además, sentía vergüenza. Por eso no les contaba a mis amigos que habíamos perdido nuestra casa, y no hablaba mucho del divorcio de mis padres. Conocía a personas que no permitían que sus hijos se juntaran con niños de hogares divididos, y tenía temor al rechazo. En la noche apoyaba mi cabeza sobre la almohada y, cuando no había nada que me distrajera, mi dolor se agudizaba. Trataba de dormir, pero las imágenes de un pasado cuando éramos felices con mis padres me desvelaban. Solíamos cenar juntos cada noche, y cuando cerraba mis ojos para dormir, se me venían a la mente imágenes de la cena en familia. Acostada en la cama, la emoción me quemaba el cuello y la garganta mientras trataba de contener las lágrimas, pero no podía. Las lágrimas bañaban la almohada hasta que, finalmente, me quedaba dormida. Cada noche, lloraba en silencio. No quería que mi madre supiera lo triste que estaba. Quería que mi familia volviera a estar junta. Quería mi casa y mi vecindario otra vez. Pero ese deseo escapaba a mi control, de modo que me enfoqué en lo que sí estaba bajo mi control: la escuela y mi vida social. Creo que mis amistades cercanas, la iglesia y las actividades extracurriculares me salvaron. Me sentía parte de algo más importante que yo y, aunque no aliviaba por completo mi enojo y decepción, me animaba lo suficiente para evitar que me hundiera en un agujero oscuro y profundo.

Si alguna vez has luchado con la depresión, sabes que cuando llega a tu vida, le gusta volver a visitarte. Mi experiencia no fue la excepción. A los veinticinco años volví a caer en depresión. Externamente, parecía exitosa e incluso feliz. Tenía una empresa próspera, era dueña de mi propia casa y tenía una familia que me amaba. Era una persona saludable y simpática... pero me sentía triste. Esta vez, cuando me atacó la depresión, la detecté y busqué un terapeuta. Me hacía exámenes de conciencia y algunas preguntas. ¿Quién soy? ¿Por qué estoy aquí? *¿Qué aporte quiero hacer a este mundo?* Oraba para recibir las respuestas que, con el tiempo, llegaron. Y sin saber cómo denominarlas, empecé a poner en práctica mis recetas para la felicidad. Descubrí mi propósito y mi pasión y, desde entonces, he tratado de cumplirlos. Encontré la manera de servir a mi comunidad. Busqué amistades con quienes pudiera tener afinidad y cultivé esas amistades. Empecé a viajar y a tomarme vacaciones. Con cada paso, me fortalecía y me reanimaba.

A los treinta y cinco años, enfrenté la etapa más dolorosa de mi vida y mi mayor temor: mi propio divorcio. Tuve que volver a empezar. Cuando la depresión intentó atacarme otra vez, ¡ya estaba preparada para combatirla! Esta vez, mi fe era más fuerte y acababa de terminar un postgrado en psicología positiva aplicada en la Universidad de Pennsylvania. Había pasado cientos de horas estudiando investigaciones de los científicos más prominentes de su campo sobre el bienestar y la resiliencia. Ahora necesitaba llevar mi conocimiento a la práctica en mi propia vida. ¿Funcionaría? Había solo una manera de comprobarlo. Puse en práctica todas las recetas para la felicidad de este libro y no solo pude hacerle frente al ataque de depresión, *sino que lo superé*. Cuando el temor me susurraba: "Fracasaste. ¡Ya no tienes autoridad para escribir libros o dar conferencias y consejería a nadie!". Le respondía: "Mi propósito no se acabó, porque mi vida no es perfecta. Sacaré un nuevo propósito de este dolor y eso me convertirá en una mujer más compasiva y una escritora mejor calificada". Cuando la incertidumbre me gritaba: "Has dejado atrás tus mejores años", mi fe me aseguraba: "¡Tu vida recién empieza! Esta crisis redundará en una etapa nueva y más feliz".

Escogí la resiliencia. Tú también puedes. Sigue el consejo de esta frase célebre de Abraham Lincoln: "Podemos ser tan felices como nos propongamos serlo". Ten fe para creer que puedes ser feliz pase lo que pase. Debes saber que *llegarán* momentos difíciles. Puede que no seas feliz *con* lo que suceda, pero puedes ser feliz *a pesar de* lo que suceda.

Yo aprendí eso del apóstol Pablo, que dijo: "he aprendido a estar satisfecho en cualquier situación en que me encuentre. Sé lo que es vivir en la pobreza, y lo que es vivir en la abundancia. He aprendido a vivir en todas y cada una de las circunstancias, tanto a quedar saciado como a pasar hambre, a tener de sobra como a sufrir escasez. Todo lo puedo en Cristo que me fortalece". Creo que la gracia de Dios me dio las fuerzas para tomar el control de mi felicidad en medio de las pruebas de mi vida. Sé por experiencia que las recetas para la felicidad funcionan; no solo porque lo prueban las investigaciones, sino porque las he visto funcionar en mi propia vida. Confío que, en la medida que las pongas en práctica, funcionarán en tu vida también.

Soy más feliz que nunca; no porque tengo todo lo que quiero, sino porque **he aprendido que no seré feliz cuando tenga lo que quiero si no aprendo a ser feliz mientras espero lo que quiero**. El destino que deseamos llegará en breves momentos. Pasamos la mayor parte de la vida viajando a un destino. Aprende a ser feliz mientras viajas y atraviesas dificultades y victorias, y descubrirás el secreto de una vida feliz.

Con amor,

Valorie

Test de la felicidad

Selecciona la opción que sea tu respuesta más sincera a cada declaración. Cada una describe algo que muchas personas quisieran poder decir. Sin embargo, responde solo lo que describa cómo eres realmente en la vida.

1. **Siempre planifico mis vacaciones con antelación.**
   a. Siempre soy así
   b. A veces soy así
   c. Soy neutral
   d. Casi nunca soy así
   e. Nunca soy así

2. **Siempre me caracterizo por reírme fácilmente y a cada rato.**
   a. Siempre soy así
   b. A veces soy así
   c. Soy neutral
   d. Casi nunca soy así
   e. Nunca soy así

3. **Nunca estoy demasiado ocupada para ayudar a las personas necesitadas.**
   a. Siempre soy así
   b. A veces soy así
   c. Soy neutral
   d. Casi nunca soy así
   e. Nunca soy así

4. **Nunca compro por impulso. En cambio, siempre busco la mejor oferta antes de hacer una compra.**
   a. Siempre soy así
   b. A veces soy así
   c. Soy neutral
   d. Casi nunca soy así
   e. Nunca soy así

5. **Siempre me esfuerzo por enviarle una tarjeta de agradecimiento a alguien que hizo algo por mí.**
   a. Siempre soy así
   b. A veces soy así
   c. Soy neutral
   d. Casi nunca soy así
   e. Nunca soy así

6. **Nunca paso ni un día sin hablar con las dos personas más cercanas en mi vida.**
   a. Siempre soy así
   b. A veces soy así
   c. Soy neutral
   d. Casi nunca soy así
   e. Nunca soy así

7. **Siempre puedo concentrarme totalmente en una tarea.**
   a. Siempre soy así
   b. A veces soy así
   c. Soy neutral
   d. Casi nunca soy así
   e. Nunca soy así

8. **Siempre soy la persona del grupo que le encuentra el lado de humor a una situación.**
   a. Siempre soy así
   b. A veces soy así
   c. Soy neutral
   d. Casi nunca soy así
   e. Nunca soy así

9. **Nunca pierdo tiempo en preocuparme por cosas que escapan a mi control.**
   a. Siempre soy así
   b. A veces soy así
   c. Soy neutral
   d. Casi nunca soy así
   e. Nunca soy así

10. **Nunca digo cosas negativas de mí ni soy dura conmigo misma.**
   a. Siempre soy así

b. A veces soy así
c. Soy neutral
d. Casi nunca soy así
e. Nunca soy así

11. Nunca dejo pasar toda una semana sin hacer un poco de ejercicio.

a. Siempre soy así
b. A veces soy así
c. Soy neutral
d. Casi nunca soy así
e. Nunca soy así

12. Nunca me siento culpable cuando me tomo unos minutos para no hacer nada.

a. Siempre soy así
b. A veces soy así
c. Soy neutral
d. Casi nunca soy así
e. Nunca soy así

13. Estoy muy segura de mi propósito en la vida.

a. Siempre soy así
b. A veces soy así
c. Soy neutral
d. Casi nunca soy así
e. Nunca soy así

14. Siempre tengo una agenda social activa y placentera.

a. Siempre soy así
b. A veces soy así
c. Soy neutral
d. Casi nunca soy así
e. Nunca soy así

15. Las personas siempre hablan de mi sonrisa contagiosa.

a. Siempre soy así
b. A veces soy así
c. Soy neutral
d. Casi nunca soy así
e. Nunca soy así

16. **Siempre me siento muy animada cuando hago un trabajo de voluntariado.**
    a. Siempre soy así
    b. A veces soy así
    c. Soy neutral
    d. Casi nunca soy así
    e. Nunca soy así

17. **Podría vivir en un lugar mucho más caro, pero me encanta donde vivo actualmente.**
    a. Siempre soy así
    b. A veces soy así
    c. Soy neutral
    d. Casi nunca soy así
    e. Nunca soy así

18. **Aunque tenga un día malo, siempre encuentro algo por lo cual estar agradecida.**
    a. Siempre soy así
    b. A veces soy así
    c. Soy neutral
    d. Casi nunca soy así
    e. Nunca soy así

19. **Siempre me siento más feliz cuando estoy rodeada de personas.**
    a. Siempre soy así
    b. A veces soy así
    c. Soy neutral
    d. Casi nunca soy así
    e. Nunca soy así

20. **Cuando hago muchas cosas a la vez, siempre termino agotada.**
    a. Siempre soy así
    b. A veces soy así
    c. Soy neutral
    d. Casi nunca soy así
    e. Nunca soy así

21. **Mi "niña interior" siempre está lista para jugar.**
    a. Siempre soy así
    b. A veces soy así

c. Soy neutral
d. Casi nunca soy así
e. Nunca soy así

22. Siempre puedo calmarme y relajarme fácilmente.

a. Siempre soy así
b. A veces soy así
c. Soy neutral
d. Casi nunca soy así
e. Nunca soy así

23. Siempre coloco notas positivas y recordatorios inspiradores donde pueda verlos todo el tiempo.

a. Siempre soy así
b. A veces soy así
c. Soy neutral
d. Casi nunca soy así
e. Nunca soy así

24. A pesar de mi agenda repleta, he encontrado una rutina de ejercicios que se adapta a mis horarios.

a. Siempre soy así
b. A veces soy así
c. Soy neutral
d. Casi nunca soy así
e. Nunca soy así

25. Siempre hago algo para celebrar mis pequeños logros mientras avanzo hacia la meta más grande.

a. Siempre soy así
b. A veces soy así
c. Soy neutral
d. Casi nunca soy así
e. Nunca soy así

26. Me siento súper bien por influir en la vida de las personas que me encuentro cada día.

a. Siempre soy así
b. A veces soy así
c. Soy neutral
d. Casi nunca soy así
e. Nunca soy así

27. **Cuando me fijo un objetivo, siempre sé de qué manera voy a celebrarlo cuando lo alcance.**
    a. Siempre soy así
    b. A veces soy así
    c. Soy neutral
    d. Casi nunca soy así
    e. Nunca soy así

28. **Nunca sonrío con la boca cerrada. Mi estilo es más bien una sonrisa de oreja a oreja.**
    a. Siempre soy así
    b. A veces soy así
    c. Soy neutral
    d. Casi nunca soy así
    e. Nunca soy así

29. **Disfruto ayudando a las personas a lograr sus objetivos.**
    a. Siempre soy así
    b. A veces soy así
    c. Soy neutral
    d. Casi nunca soy así
    e. Nunca soy así

30. **Soy excelente para ahorrar dinero, pero nunca me importa gastarlo en irme de vacaciones a un lugar apasionante.**
    a. Siempre soy así
    b. A veces soy así
    c. Soy neutral
    d. Casi nunca soy así
    e. Nunca soy así

31. **Me siento afortunada en la vida.**
    a. Siempre soy así
    b. A veces soy así
    c. Soy neutral
    d. Casi nunca soy así
    e. Nunca soy así

32. En mi familia, siempre soy la que disfruta saber lo que le pasa a cada uno.

a. Siempre soy así
b. A veces soy así
c. Soy neutral
d. Casi nunca soy así
e. Nunca soy así

33. Siempre me hace feliz apagar mi teléfono celular y la TV para enfocarme en la tarea que tengo entre manos.

a. Siempre soy así
b. A veces soy así
c. Soy neutral
d. Casi nunca soy así
e. Nunca soy así

34. Me encanta contar historias divertidas y hacer reír a quienes me rodean.

a. Siempre soy así
b. A veces soy así
c. Soy neutral
d. Casi nunca soy así
e. Nunca soy así

35. Siempre me tomo todos los días que me corresponden de vacaciones al año.

a. Siempre soy así
b. A veces soy así
c. Soy neutral
d. Casi nunca soy así
e. Nunca soy así

36. El mes pasado no dije nada negativo de nadie a sus espaldas.

a. Siempre soy así
b. A veces soy así
c. Soy neutral
d. Casi nunca soy así
e. Nunca soy así

37. No me siento bien si no hago ejercicio.

a. Siempre soy así
b. A veces soy así
c. Soy neutral
d. Casi nunca soy así
e. Nunca soy así

38. Cuando como, siempre me relajo, me siento a la mesa y saboreo cada bocado de mi comida.

a. Siempre soy así
b. A veces soy así
c. Soy neutral
d. Casi nunca soy así
e. Nunca soy así

39. Siento que el trabajo que hago todos los días es más un llamado que un "trabajo".

a. Siempre soy así
b. A veces soy así
c. Soy neutral
d. Casi nunca soy así
e. Nunca soy así

40. No pasa una semana sin que espere con ansias una actividad de mi agenda.

a. Siempre soy así
b. A veces soy así
c. Soy neutral
d. Casi nunca soy así
e. Nunca soy así

41. Aunque esté deprimida, nunca cuesta mucho hacerme sonreír.

a. Siempre soy así
b. A veces soy así
c. Soy neutral
d. Casi nunca soy así
e. Nunca soy así

42. Siempre me emociona ayudar a una buena causa.

a. Siempre soy así
b. A veces soy así

c. Soy neutral
d. Casi nunca soy así
e. Nunca soy así

43. Siempre es gratificante para mí darle dinero a alguien o comprarle algo.

a. Siempre soy así
b. A veces soy así
c. Soy neutral
d. Casi nunca soy así
e. Nunca soy así

44. A menudo me asombro de todas las cosas buenas que otros hacen por mí.

a. Siempre soy así
b. A veces soy así
c. Soy neutral
d. Casi nunca soy así
e. Nunca soy así

45. Mis relaciones siempre me animan y me inspiran.

a. Siempre soy así
b. A veces soy así
c. Soy neutral
d. Casi nunca soy así
e. Nunca soy así

46. Me pone muy nerviosa tratar de hacer varias cosas a la vez.

a. Siempre soy así
b. A veces soy así
c. Soy neutral
d. Casi nunca soy así
e. Nunca soy así

47. Las personas siempre me describen como una mujer alegre o divertida.

a. Siempre soy así
b. A veces soy así
c. Soy neutral
d. Casi nunca soy así
e. Nunca soy así

48. Nunca me llevo trabajo a casa ni reviso mensajes cuando estoy de vacaciones.

a. Siempre soy así
b. A veces soy así
c. Soy neutral
d. Casi nunca soy así
e. Nunca soy así

49. Siempre recibo los cumplidos. Nunca les resto importancia.

a. Siempre soy así
b. A veces soy así
c. Soy neutral
d. Casi nunca soy así
e. Nunca soy así

50. ¡Me siento viva y llena de energía cuando hago ejercicio!

a. Siempre soy así
b. A veces soy así
c. Soy neutral
d. Casi nunca soy así
e. Nunca soy así

51. Con frecuencia noto la belleza de la puesta del sol o la melodía del canto de las aves.

a. Siempre soy así
b. A veces soy así
c. Soy neutral
d. Casi nunca soy así
e. Nunca soy así

52. Siento que estoy viviendo la vida para la cual fui destinada y estoy haciendo exactamente aquello para lo cual fui creada.

a. Siempre soy así
b. A veces soy así
c. Soy neutral
d. Casi nunca soy así
e. Nunca soy así

Instrucciones para calcular el puntaje del test de la felicidad

Hay cuatro preguntas para cada una de las 13 recetas para la felicidad. Suma los puntos de cada receta según tus respuestas a las preguntas. Usa la siguiente tabla de puntos:

a. Siempre soy así (5 puntos)
b. A veces soy así (4 puntos)
c. Soy neutral (3 puntos)
d. Casi nunca soy así (2 puntos)
e. Nunca soy así (1 punto)

Receta para la felicidad	Puntos recibidos en cada pregunta				Puntaje total
Expectativa:	1 _____	14 _____	27 _____	40 _____	_____
Sonrisas:	2 _____	15 _____	28 _____	41 _____	_____
Servicio:	3 _____	16 _____	29 _____	42 _____	_____
Sabias decisiones financieras:	4 _____	17 _____	30 _____	43 _____	_____
Gratitud:	5 _____	18 _____	31 _____	44 _____	_____
Vínculos sociales:	6 _____	19 _____	32 _____	45 _____	_____
Fluir:	7 _____	20 _____	33 _____	46 _____	_____
Jugar:	8 _____	21 _____	34 _____	47 _____	_____
Relajarse:	9 _____	22 _____	35 _____	48 _____	_____
Palabras positivas:	10 _____	23 _____	36 _____	49 _____	_____
Moverse:	11 _____	24 _____	37 _____	50 _____	_____
Disfrutar:	12 _____	25 _____	38 _____	51 _____	_____
Propósito:	13 _____	26 _____	39 _____	52 _____	_____

¿Cuáles son tus tres mejores recetas para la felicidad, las que obtuvieron mayor puntaje?

1.__________________________________

2.__________________________________

3.__________________________________

Tus tres recetas con mejor puntaje son tus **"recetas personales"** y son las más dominantes. Son las que usas más a menudo y las que te salen con más naturalidad. Practícalas y busca maneras de usarlas aún más para estimular tu felicidad. Te sientes a gusto practicando estas recetas, porque forman parte de tu personalidad y tu estilo de vida. Sin embargo, tus "recetas potenciales", las que recibieron el peor puntaje, son las que más estimularán tu felicidad.

¿Cuáles son tus recetas menos dominantes, las que obtuvieron peor puntaje?

1.__________________________________

2.__________________________________

3.__________________________________

Tus tres recetas con menor puntaje son tus **"recetas potenciales"**. Son las que más pueden estimular tu felicidad, porque son las que usas menos, o puede que ni las tengas en cuenta. Sin embargo, cuando practicas estas recetas, aprovechas oportunidades nuevas de estimular tu felicidad. No tardes en beneficiarte de estas recetas que afectarán positivamente tu bienestar de una manera que te resultará novedosa y fascinante.

Lee atentamente los capítulos de este libro para encontrar diversas maneras de practicar cada receta en tu vida diaria. Haz cambios premeditados, ¡y luego vuelve a tomar el test para ver si tu grado de felicidad ha aumentado!

Enseña lo que has aprendido

Las 10 lecciones principales sobre la felicidad para enseñar a niñas y jóvenes

Ahora que conoces las recetas para la felicidad, ¡enséñaselas a otros! He preparado una lista de las diez lecciones principales para que te resulte más fácil hablar con las jóvenes que te rodean sobre lo que realmente necesitan para ser felices en el mundo de hoy. Puedes usar esta lista para iniciar una conversación con ellas y empezar a influenciar lo que piensan sobre su propia felicidad. Cada lección incluye una pregunta y algunos pensamientos para ayudarte a sacar el tema. ¿A qué mujeres jóvenes quieres influenciar?

1. **No planifiques solo tu carrera; planifica tu vida personal.**

   ¿Cómo quieres que sea tu vida personal dentro de diez años? Establece objetivos para tu carrera, pero también para lo que deseas en tu vida personal. Si tu objetivo es casarte, cuando seas mayor de edad, ponte de novia solo cuando encuentres a alguien con quien te casarías: un joven con tus mismas metas para la familia y la vida espiritual, y con quien compartan la misma visión para la vida. Y elige amistades que tengan tus mismos valores. Deben poder contar contigo, pero asegúrate de que tú también puedas contar con ellas.

2. **¡Nadie se ve tal cual aparece en la portada de una revista!**

   ¿Con quién te sueles comparar? Deja de compararte con mujeres que en realidad no existen. Todas las fotos de las revistas están retocadas para que la modelo luzca perfecta. En la vida real, ¡ella también tiene defectos! Acepta tu belleza singular.

3. **Tú tienes un propósito y tu misión en la vida es descubrirlo y cumplirlo.**

¿Qué aporte *positivo haces a la vida de las personas que se cruzan en tu camino?* Procura cada día alegrarle el día a alguien. Fuiste creada por una razón. Tienes dones, talentos, algo que te apasiona y experiencias que pueden hacer de este mundo un lugar mejor. No debes retenerlas, sino usarlas para hacer el bien.

4. **No es malo equivocarse. Lo que lamentarás es no haberlo intentado.**

¿Qué tienes miedo de intentar por temor a equivocarte? No permitas que el temor te impida intentarlo. Cuando te equivocas, aprende la lección y úsala la próxima vez. Las mujeres más felices viven sin lamentarse de nada. Son muy valientes y decididas a lograr lo que desean. Saben que el secreto del éxito es seguir intentándolo hasta lograrlo.

5. **"Ningún hombre que no esté locamente enamorado de ti es un buen candidato" (Pearl Cleage).**

¿Te trata él como la mujer valiosa que eres? ¡La prosperidad de un hombre y su buena apariencia no lo convierten en un buen candidato! Lo que importa es cómo te trata, su carácter, su estabilidad emocional y su fe. No te conformes. No persigas a ningún muchacho. Aquel que sea para ti te buscará y sabrá que ha encontrado la mujer de su vida, y tú sabrás que has encontrado al hombre indicado por cómo te trata. Él no se arriesgará a perderte.

6. **Nunca digas nada de ti que no quieres que sea verdad.**

Tus palabras tienen poder. Nunca digas nada que no quieres que sea verdad: "No puedo". "Soy una tonta". "Nadie me ama". Di solo palabras que le den vida a tus sueños: "Tengo todo el potencial". "Puedo lograrlo". "Soy bastante buena". ¡El optimismo genera felicidad!

7. **Adquiere experiencias, no "cosas".**

¿Para qué *quieres tener dinero?* Las mujeres felices viven por debajo de sus posibilidades económicas y procuran no tener deudas. Mientras tus amigas están apretando el cinturón para poder pagar sus tarjetas de crédito y sus préstamos, tú tendrás la libertad de ahorrar, donar y gastar en experiencias que te traigan verdadera felicidad: una salida con amigas, un viaje divertido o lecciones de baile o fotografía para aprender algo nuevo.

8. **Habla más con tu familia en vez de comunicarte a través del correo electrónico y mensajes de texto.**

Los mensajes de texto y los correos electrónicos son maneras excelentes de estar en contacto e intercambiar información, pero adopta el hábito de hablar con las personas que te importan. Las mujeres felices hablan cara a cara para poder palpar, ver y realmente estar con una persona. No se puede forjar una relación sólida en 140 caracteres o menos.

9. **Escucha ese suave susurro.**

¿Has oído alguna vez tu voz interior, pero la has ignorado? ¿Cuándo? Dios habla en un susurro, con un pálpito en tu espíritu que te guía en la dirección correcta. No ignores ese suave susurro. Confía en tu capacidad de escuchar a Dios. Él produce en ti esa "voz interior", esa "intuición". Es inteligencia divina. No la descartes ni la ignores. ¡Es tu arma secreta! Y si alguna vez tienes temor de equivocarte, confía en que Dios te lo hará saber y encauzará tus pasos.

10. **¡Juega!**

¿Qué te gustaría hacer por el puro gozo de hacerlo? Tu vida es un regalo. ¡Disfrútala! No todo tiene que ser lograr metas y obtener resultados. ¡A veces lo único que necesitas es hacer una pausa y jugar! Mantén siempre viva tu "niña interior".

Planes de acción personalizados

Mujer soltera sin hijos

- No idealices el matrimonio.
- Haz una lista de diez cosas buenas de ser soltera. ¡Es tu lista de gratitud como soltera!
- Organiza una reunión con amigas. Invita a aquellas que hace tiempo que no ves y a otras que te gustaría conocer mejor.
- Realiza un viaje. ¿Qué lugar siempre quisiste visitar?
- Proponte estar acompañada de otras personas. Búscate una compañera de cuarto coarrendataria si no te gusta vivir sola. Si trabajas en tu casa, almuerza afuera, asiste a actividades de alguna asociación profesional y busca una manera de servir a otros.
- No esperes que llegue el príncipe azul para salvarte financieramente.
- Compra tu propia casa. Puede ser una excelente inversión prematrimonial. Mantenla después de casada, réntala y termina de pagarla.

Madre sola

- Vive cerca de familiares o amigos cercanos. Dale valor a tu red de apoyo. Esto significa pensarlo dos veces antes de mudarte a algún lugar donde no tengas esa red.
- Acepta y diles la verdad a tus hijos. No hables mal de tu ex, pero tampoco lo excuses si no es un padre presente. Diles la verdad en amor y apoya a tus hijos mientras aprenden a asimilar la verdad.
- Haz todo lo que puedas y acepta que solo puedes ser madre, no madre y padre a la vez. Busca una figura masculina que sea de influencia y ejemplo paternal si tu ex no es un padre presente.

- Tómate descansos regulares. Si puedes pagar una niñera, contrata una y tómate un descanso semanal. O puedes turnarte con otra madre o miembro de tu familia para cuidar a los niños.
- Cuando otros te ofrezcan ayuda, ¡acepta su ofrecimiento! Y si no te lo ofrecen y lo necesitas, *pídeles que te ayuden.*
- Aparta un momento a la semana para jugar con tus hijos. Permíteles elegir la actividad. ¡Relájense, ríanse y pásenlo bien!
- Cuando llevas a tus hijos a la cama, saca el tema del agradecimiento: ¿Cuáles fueron las tres cosas mejores de hoy?

Madre con hijos grandes que ya no viven en el hogar

- ¿Qué has estado postergando? ¡Hazlo! Elabora un plan. Ponle fecha. ¡Disfrútalo!
- Dedícate a un nuevo pasatiempo.
- Aprende algo nuevo. Toma clases de italiano, aprende a tocar piano o empieza a pintar y escribir por primera vez en tu vida.
- Realiza un viaje familiar con tus hijos adultos.
- Realiza un viaje con amigas a un destino divertido. Emprende esta aventura una vez por año si lo deseas o únete a un club de viaje.
- Si eres casada, aviva el romance con tu esposo. Tómense una segunda luna de miel para celebrar esta nueva etapa de la vida juntos.
- Pregúntate: "¿Qué espero en los próximos tres, cinco y diez años?".

Madre casada que trabaja

- Dale prioridad a tu matrimonio. Siéntate con tu esposo y aparten un tiempo para estar juntos cada día (aunque sea solo 30 minutos) y cada semana.
- Pónganse de acuerdo en que si uno está con mucho trabajo, el otro se hará cargo de los quehaceres del hogar. Hablen de eso ahora y no en medio de una semana caótica.
- Permitan a los niños elegir una actividad para hacer en familia. Ya sea una noche de pizza y juegos de mesa, jugar a la pelota o

un viaje al parque de atracciones, hagan de la "diversión" una tradición en tu familia (¡mamá y papá incluidos!).

- ¡Haz el amor con tu esposo hoy y olvídate de los platos en ese momento! Es bueno para ti y tu marido, y los une más. Sé que estás ocupada, pero cuando se llevan bien en el sexo, se nota en el matrimonio.
- Tómate un descanso. Habla con tu esposo de la necesidad de tomarte un tiempo de descanso en la semana para relajarte y respirar, aunque sea por un par de horas. ¿Cuándo sería el mejor día y momento de la semana?
- Cuando lleves a tus hijos a la cama, saca el tema del agradecimiento con ellos. Pregúntales: "Cuáles fueron las tres cosas mejores de hoy?".

Madre ama de casa

- Escribe tu propia definición personal de felicidad. ¿Cómo defines "tenerlo todo"?
- Relaciónate con otras mujeres. Invita a otras madres a tu casa mientras tus hijos juegan, planifica una salida de mujeres una vez al mes, y llama a algunas amigas y antiguas compañeras de trabajo para saber cómo están. ¡No pierdas contacto con el mundo exterior!
- Disfruta de tu etapa con tus hijos. Toma fotos. Confeccionen álbumes de fotos juntos. Dentro de diez años, ¿qué quisieras recordar más de haber hecho con tus hijos?
- Deja de lado la perfección y céntrate en la relación. La casa no tiene que estar perfecta antes de jugar con tus hijos. *Disfrútalos.* Esta etapa es preciosa.
- Cuando tus hijos sean más grandes, busca la posibilidad de realizar una actividad de voluntariado o servicio juntos. Incluso, permite que tus hijos elijan una causa con la que se identifiquen.
- Cuando tus hijos vuelven de la escuela, pregúntales: "¿Qué fue lo mejor que les pasó hoy en la escuela?".

Mujer casada sin hijos con doble ingreso en el hogar

- Enfócate en crear una relación fuerte con tu esposo. No permitas que el trabajo arruine tus noches y tus fines de semana. Que cada uno le dé prioridad al otro cuando estén en casa.
- Hagan ejercicio juntos. ¿Qué les gusta hacer a los dos? Es una manera excelente de estar conectados, liberar endorfinas y estar saludable.
- Oren juntos. La unión espiritual produce un matrimonio más sólido y gratificante.
- Procura desconectarte de la tecnología en la noche, aunque sea por media hora. Apaga el celular. Los mensajes de texto pueden esperar. Hablen y mírense a los ojos uno al otro. Comuníquense.
- Propóngase vivir con solo un ingreso. El ingreso doble se ha vuelto una necesidad en demasiados hogares, a menudo porque las parejas buscan un estilo de vida que *requiere* dos ingresos. Pero, si quieres ahorrar, vivir por debajo de tus posibilidades económicas y bendecir a otros; la mejor manera es vivir con un solo ingreso y usar el segundo para ahorrar y darse gustos especiales como unas vacaciones.
- Haz una lista de las cosas que deseas experimentar antes de tener hijos (si están planeando tenerlos). Disfruta esta etapa de tu matrimonio. Haz cosas que no podrás hacer cuando tengas hijos y sean pequeños. ¡Disfruta!